めんどうなことなしで

速読

できる方法を
教えてください

速読日本一
角田和将

サンマーク出版

読みたい本も、読まなきゃいけない本もたくさんある。
だから速く読めるようになりたい。
でも速読はルールが細かくてめんどくさそう。
やり方を調べても、
よくわからなかった……。

と悩んでいた出版社勤務の私が
速読日本一の角田和将さんに、
この悩みを思い切って相談してみました。

PROLOGUE

すると返ってきた答えは

速読ってルール通りに読まなくてもいいんですよ。

しかも案外すんなりと

今より速く読めるようになります。

でも、それに気づかず

「速読できない」とやめてしまう方が多いんです。

というもの。

一体どういうことなのか、

めんどうな思いをしなくても速読できるのか、

を聞き出したことから、この本が生まれました！

速読って、じつはこんなにハードルが低いんです！

1

0.1秒でも速く読めればいい

↓

それだけで1冊にかかる時間は何十分も短縮できる！

2

速く読めている感覚はなくていい

↓

速く読めていることを体感しにくいのが速読！

3 読み方のルールは無視していい

人によって合う
速読法は違うから、
読み方をアレンジ
していい！

4 読みながら内容を理解できなくていい

速読では「読む」と
「考える（理解する）」を
同時にやらない！

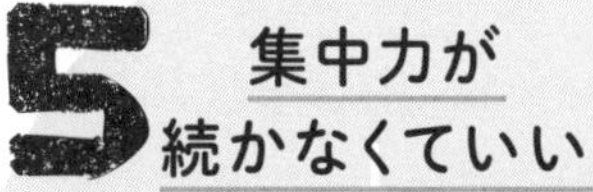

5 集中力が続かなくていい

読むのは集中が
続く間だけでもいい。
速読には集中力アップ
効果も！

速読法には膨大な種類がありますが、じつはたったの2つに分類できます。この見開きをひとまず軽く読み流し、読み進めて気になることがあったら、ここで確認してください。

1 「読む」を「見る」に切り替えて読む

トレーニング型速読

「高速で文字を追う」「視野を広げて一度に多くの文字を捉える」ことで速く読む方法。読みながら内容を理解するのではなく「文字をただ見る」ことが大切。

普通の読み方=なぞり読み

なぞり読みでも「高速で文字を見る」「一度に多くの文字を捉える」を意識すれば、内容を理解しながら今より速く読めます。

「右脳」「潜在意識」「目を動かす」などのキーワードが出てくる速読は、基本的にトレーニング型速読に分類されるそうです。

速読スキルを身につけるには速読トレーニングが有効で、スキルを使いこなせるようになるには読んで慣れることが必要です！

2 必要な箇所だけを選び出して速く読む

テクニック型速読

不要なところは読まずに、必要なところだけを選んで速く読む方法。

スキャニング

自分が知りたい内容だけを選んで読む方法。

パラグラフリーディング

結論が書かれている箇所だけを読む方法。

本書のドリルで鍛えるのは「トレーニング型速読」の力です。1章から順に読むと最大限の効果を得やすくなりますが、時間がない方や今すぐトレーニングしたい方は、いきなりドリル（P159～）に取り組んでも速読力は身につけられます。

こんなドリルに取り組みます

例題

すべての言葉を１回ずつ使って、スタートからゴールまでしりとりになるように言葉をつなげましょう。

ドリルページには、かかった時間の記入欄があります。時間がかかっても、正解できなくても大丈夫ですが、2回目は1回目より速く解くことを目標にしてください。そして「視野幅を広く取ること」を意識しながら解いていきましょう。

例題
答え

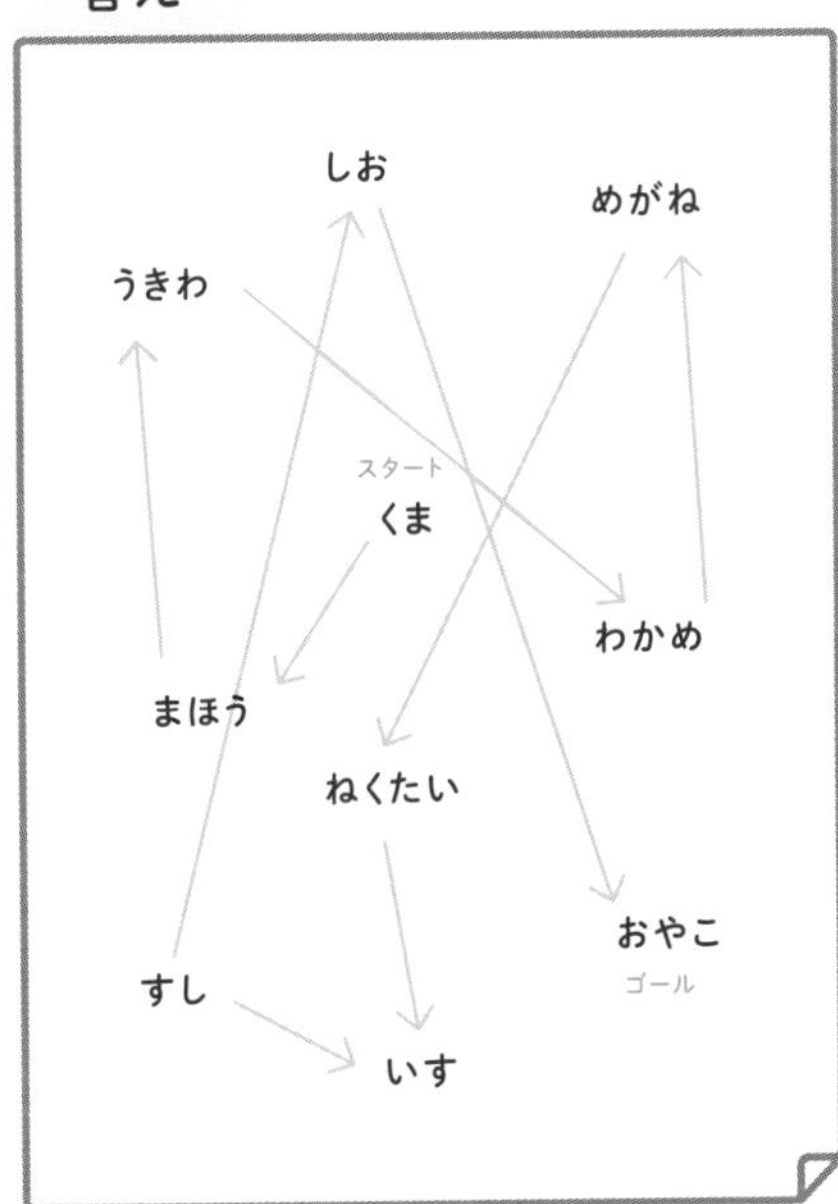

CONTENTS

PART 2

これだけわかれば誰でも速読できる

PART 3

速読力が爆発的にアップするドリル

PART 4

どんな本でもスラスラ読める速読活用術

カバーデザイン◎五味朋代（フレーズ）
本文デザイン◎高橋明香（おかっぱ製作所）
イラスト◎上路ナオ子
DTP◎髙本和希（天龍社）
校正◎ぷれす
編集◎蓮見美帆（サンマーク出版）

PART

1

速読最大の敵は「苦手」という思いこみ

LESSON

01 「5分で読了」を目指さないほうが読むスピードはあがる

速読できると「1冊3分で頭に入る」とか「1冊1分で読める」とかよく言いますよね。あれって本当ですか？　私には到底できる気がしないのですが……。

速読のテクニックによっては、1冊を数分で「見る」なら可能ですよ。

じゃあ私もページをパラパラ～っとめくるだけで、内容をサラサラ～っと頭に入れられるようになるんですね！

あ、すみません。そういうわけではないんです。

えっ、今「可能です」って言ったじゃないですか！

たしかに、その速読テクニックを使えば数分で「見る」ことはできますが、それだけですべての内容が頭に入るわけではないんです。

つまり文字は目で追えても、全部の内容を覚えるのは無理ってことですか？

無理ってわけでもないけれど、**少なくとも1冊数分で〝全文暗記〟は無理と考えたほうがいいでしょう。**なので、その速読テクニックは使える場面が相当限られたものなんです。例えば書店で本を選ぶときには役立ちますが、勉強にはあまり向かないですね。

そんな……。立ち読みのために速読を勉強する気には正直なれません。

そうですよね。違う速読法を使えば1冊数分で、内容をそれなりに把握しながら読むことも目指せなくはないけれど、それは蓮見さんの想像通り簡単なものではありません。たとえるなら、運転免許を持っていない方がいきなりF1カーでレースに出るくらい。

そんなに難しいんですか！

自分にもできそうだ、と考える方はたくさんいらっしゃいますが、思っていたほど速くならず「自分は速読できなかった」と多くの方が挫折してしまうんです。もちろん練習を重ねれば、だいたいの方は運転免許を取るくらいのレベルまでは到達するんですけどね……。

そんなに難しいなら、普通の方が速読をマスターするのは無理ですよね。実感が得られないと「向いていないのかな」「やり方を間違えているのかな」とどんどんネ

ガティブになりそうですし。

ネガティブな気持ちになるのは、ものすごく高い目標を設定しているケースが多いからなんですよ。それを伝えたかっただけなんです。もちろん「1冊数分」を目指すのもいいのですが、目標に追いつかずやめてしまう方がとても多く、もったいないなあ……と思うんです。

じゃあ、どのくらいの目標なら無理なく速読できるようになりますか？

「これまでより0・1秒でも速く読めるようになる」くらいがおすすめです。

それ、まったく速くないんじゃ……。そのために速読を勉強する意味あります？

では、１行読むのにかかる時間が４秒から３秒に変わるとしましょう。このときの変化はわずか１秒なので、その変化に気づける方は多くありません。読んでいるときも、たいして速くなった感じはしないと思います。

はい、たった１秒だし。

そう、わずかな部分で効果を体感するのは無理があります。しかし、仮に１ページ15行、１冊２００ページの本だとすると、読み切ったときには３０００秒、つまり50分も短縮できますよね。

たしかに１冊３分とまではいかなくても、いつもより50分速く読めるなら結構うれしいです。

やる気になりましたね。ポジティブな気持ちはやる気に火をつけてくれるので、どんどん速く読めるようになっていきますよ。

そっか、速読の難しさも知ったうえで小さな目標を少しずつ達成していくほうが確実に速く読めるようになっていくんですね。

さすが、理解が早いですね。「今より0・1秒でも速く読み終えられればいい」くらいの気持ちで取り組んだほうが、楽しく無理なく続けられて、結果的に読むのも速くなるんです。

小さな変化を楽しみながら無理なく続けて、気づいたらスピードがあがっているのが理想なんですね。ものすごく短時間では読めなくても、1冊読むのにかかる時間が3時間20分から2時間半になるなら、余った50分でほかのこともできるし、うれしいです！

はい、もう一度同じ本を読み返して、さらに理解を深めていくこともできます。仮に普通に読んだとしても、一回で十分なレベルまで覚えるのは難しいでしょうから。

えっと……角田さん、浮いた時間でまだ本を読む気ですか……（絶句）。

LESSON 02

「速く読めない」という人ほどじつは速読できている

じつは私、何度か速読に挑戦したことがあって。でも速く読めているかわからなかったり、目の動かし方が合っているかがわからなかったりで、うまくいかなかったんです……。

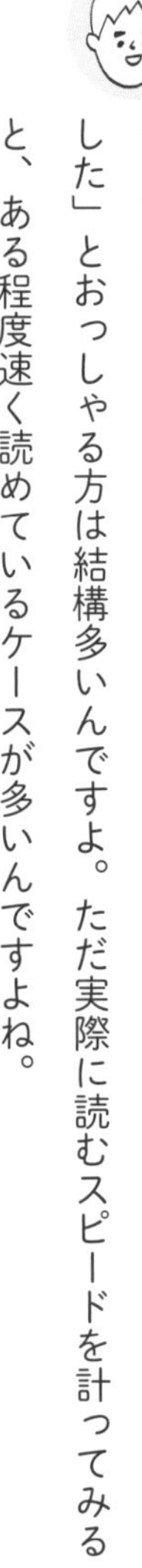

僕の講座を受ける方でも「ほかの先生に速読を習ったんだけどうまくいきませんでした」とおっしゃる方は結構多いんですよ。ただ実際に読むスピードを計ってみると、ある程度速く読めているケースが多いんですよね。

えー、できてないと思ってるのに速く読めてるんですか⁉

はい、無理してまた習う必要はないのでは、と思う方も当然いらっしゃいます。もちろん「もっと速く読めるようになりたいんだ！」という強い思いを持って指導を受けて、さらに成長される方もいらっしゃいますね。

速読って、ものすごい速さで読んでいる感じがすると思ってたんですが、違うんですか？

そう、できていても変化に気づきにくいんです。僕自身も、中学生のときと高校生のときに速読に取り組んだことがあったんですよね。そのときは、まさにパラパラめくればすぐ頭に入るものとイメージしていました。

私もそうだと思ってました。変化を実感できないなんて、途中でやる気なくなりそう……。

効果の実感はできますよ。わからないのは、感覚で計るからなんです。

感覚……？　どういうことですか？

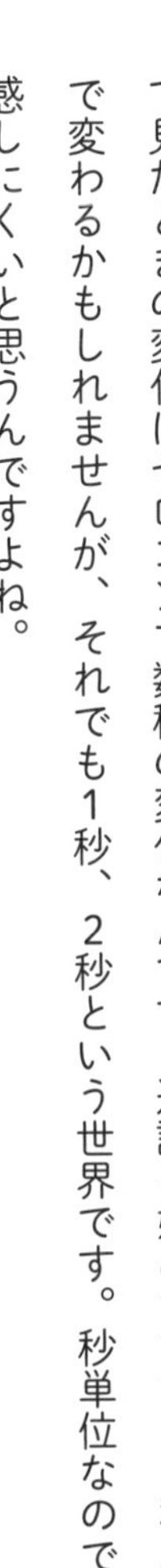

例えば、本を読むスピードって、1行1行読みながら「速くなっているな、なっていないな」と体感的に計ろうとすることが多いと思うんですね。けれど、1行単位で見たときの変化はゼロコンマ数秒の変化なんです。速読を始めたてなら1秒単位で変わるかもしれませんが、それでも1秒、2秒という世界です。秒単位なので実感しにくいと思うんですよね。

数行では劇的な変化はないのか。

そうですね。なので速読できているかどうかを確認するには、時間を計ることが重要なんです。

え〜、めんどくさいなぁ。正直やりたくないです。

じゃあ、過去に指導した生徒さんから聞いた事例を紹介します。カフェでコーヒーを買うじゃないですか。それが冷めて自分の飲める温度になるまでに、何ページ読めたかを計る方がいました。

それならタイマーいらないし、できるかも！　でもコーヒーを飲める環境じゃないときはどうしますか？

電車での通勤時間に何ページ読めるかチェックしてもいいですね。

前より3ページ多く読めたとか計ればいいんですね！

はい、速読に限らず何事にも言えることだと思いますが、無理なく取り組める環境をつくることが重要だと思います。タイマーを用意するとか時間を計るのとかはめんどう、ってなるとやらなくなってしまうと思いますので。

あ、それ私だ……。

LESSON

03 読んでから理解するのが速読だった

速く読もうとして必死に文字を追っても、いつも頭に入ってこないんですよね。

速読の読み方と普通の読み方は、そもそも理解のしかたが違うので、それはしょうがないんですよ。

えっ、どういうことですか?

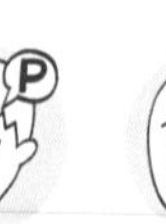

普通に読んでいるときは、文字を追いながら、同時に「どういう内容なのかな」と考える。「読む」と「考える」を同時にやっているんです。

言われてみれば、たしかにそうですね！

速読の読み方は、まず先に「読む」だけをやっちゃうんです。「どういうことが書いてあるか？」だけをまずは追いかけていく。で、一通り目を通したあとで「どういう内容だった？」を文章全体から理解していくんです。「考える」があとに来る流れですね。

わかるような、わからないような……。

普通に読んでいるときは、森の中の木を1本1本調査するような感じ。1本ずつ木を調べていきながら、最終的に全体像を理解するっていう流れですね。**速読は、ヘリコプターで上から全体像を見て、だいたいこんな感じだなっていうのを掴（つか）んでから、北のほうにあるのはどういう木なのかな、と詳細を確認していくやり方です。**

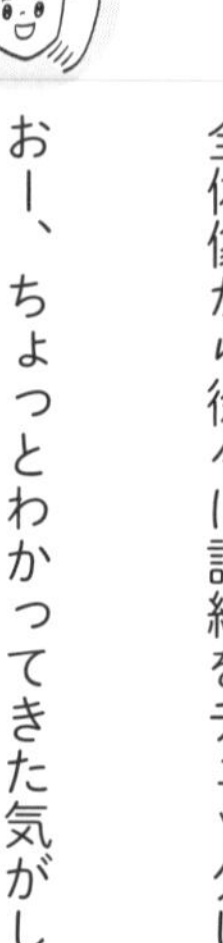

全体像から徐々に詳細をチェックしていく流れですね。

おー、ちょっとわかってきた気がします。

なので速読では「こんな感じのものがあったな」「こういう言葉が書いてあったな」というのが、目に入ってくる。言葉の意味というよりは、言葉のイメージが頭の中に入ってくる感じですね。そしてそのイメージが「どういう内容なのかな？」と考えて、内容を理解していくんです。

つまり速読をしているときは「考える」プロセスはないんですね。

そうなんです。**先程、読んでいても頭に入ってこないっておっしゃいましたよね。**
それは、ある意味ちゃんと速く読めてる証拠なんじゃないかと。

私、知らぬ間に速読できてたんだ！　でも私が普段やっている「普通読み」と「速読」ってだいぶスケールが違いますね。

結果的に1冊を理解するという意味では、目指すゴールは同じですけど、アプローチするルートが全然違うんですよ。そこを勘違いして、空から全体を見渡せる状態で、1本1本の木の葉っぱの状態まで調べようとしたら難しく感じるのも当然です。

絶対無理なことをやろうとしてる感、ハンパないです。

ええ。ですからまずは「速読は別物」と割り切って考える。「この辺りでこんな感じのことが書かれてたな」というイメージさえ掴めればいいんですよ。

角田さん、イメージってなんですか？　章や項目に、だいたいこういう内容が書いてあるなとか、こういう言葉が多く使われてたなっていうのを掴めばいいんです

か？

本にもよるのでどちらも間違いではありませんが、取り組みやすいところで言うと、前半、中盤、後半の3か所で、それぞれどういう言葉がよく出てくるかを掴むくらいから始めるといいんじゃないかなと思います。たくさん出てくる言葉やキーワードが掴めれば、章や項目のイメージもなんとなくわかってくると思いますよ。

なるほど。一通り見たあとは、どうすると全体像が掴めますか？　いつもの速さで読む「普通読み」だったら、しっかりしたイメージで全体像を掴めると思いますが……。

速読にまだ慣れていない段階なら、このときも「右脳っていうキーワードが中盤でやたら出てたな……」程度のイメージが頭にある感じですね。「なんで速読の本なのに脳の話がいっぱい出てきたんだ？」という疑問まで持てたら上出来です。その次に、なぜその言葉がたくさん使われているのかを探れば、徐々に詳細がわかってきます。

その程度でいいんですね。これなら内容を最後まで満遍なく頭に入れられる気がします。「普通読み」すると、章によって理解度にムラができてしまって……。

人は時間が経てば経つほど忘れるので、ゆっくり読んでいくと、最初のほうに書いてあったことを忘れてるんですよ。

図星すぎて耳が痛い……。

これは脳がそうできているから、しょうがないんです。なので「忘れやすい」を前提に考えることも大事なんじゃないかなと思うんです。どうせ忘れるんだから、速く全部読んじゃって、もう1回読み直したほうがいいよねっていう発想になれると

思うんですよ。

潔い発想ですね（笑）。

指導でもよく言うのが「完璧主義になるより、完了主義で考えるほうがいい」です。1冊をきっちり全部理解しながら読み進めるよりも、まずは1冊を読み終えることですね。

おー、完了主義ってかっこいい。

読書で完璧って正直なかなかないと思うので。完璧を目指すこともできるんですが、多かれ少なかれ歳を重ねると読む力は衰えます。**完璧を維持するのはなかなか難しくて、読書のためにそこまですべきかと言われると……**。無理のない範囲で速読力を伸ばすほうがいいんじゃないかと思います。

速読日本一なのに「読書のためにそこまでするのは」とか言っちゃうなんて（笑）。

僕も本は結構読むほうだとは思いますが、読むこと自体が好きかって言われると、ちょっと話は違う。なにかしたいことがあるから読書する、もしくは読んだうえでなにかやりたいことを考えるほうが好きなんです。

角田さんにとって読書は手段なんですね。

そうです。本で学んだことを実際に試して経験に変えるところが僕は楽しいと思っています。速読はあくまでもそのための手段です。

LESSON

04 文章はとことん都合よく解釈しよう

「普通読み」のときもなんですけど、本の内容を正しく理解できているか不安になることがあります。この場合も一通り読むのを優先したほうがいいですか？

そもそも「正しい理解とはなにか？」を考えてみましょう。極論を言えば、**「文字で書かれている情報だけで、書き手の考えが正しく理解できるのか？」を判断するのは、結構難しいと思うんですよね。**

ああ〜、たしかに会って話しているときと、文字で読んだときの理解度って違いますね〜。

書き手が自分の考えを正しく書けているかもわからないじゃないですか。そうすると結局、正しい理解ってなんなんだっていう話になってくると思うんですよ。

あのー、角田さん？　深く考えすぎて、質問から遠ざかってませんか？

本を読むときには、悩んでいることがあって解決したいとか、自分のレベルをもっとあげたいとか、なにかきっかけがあると思うんですよね。それに対してヒントや気づき、ひらめきを得られれば、読書の役割は十分果たせていると思いませんか。

もしもーし！　角田さん、私の声聞こえてますかー？

なので極端な話、都合のいい解釈をしたとしても、結果的に自分に活かせるなら、それはそれでＯＫだと思うんですよね。小説のような芸術性を楽しむものは別だとしても。

お〜〜!!　よかった、ちゃんと戻ってきたし、ちゃんと答えてくれた!!

さっき完璧主義の話をしましたけど、「これは正しいか」を考えてしまうと、速読に限らず、挫折につながりやすいと僕は思っています。

普通に読んでいるときもですか？

はい、読むスピードが遅くても、結局得ているのは正しい理解じゃなくて、自分なりの理解です。「だったら速く読んだほうがいいじゃん」って話ですよね。

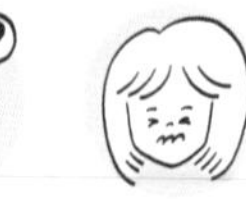

お話を聞けば聞くほど、じっくりゆっくり読むって損な気がしてきました。

じっくり読むのは大事なんですよ。大事なんですけど**「じっくり読む」は「ゆっくり読む」ではないんですよ。**

角田さん、今日深いこと言いますね……。

勘違いしている方が多いんですが「じっくり読む」とは、1冊を徹底的に読みこむことなんですね。つまり、その本をものにするために、**考える時間をたくさん取ることも含めて「じっくり読む」なんですよ。**でもゆっくり読んでいたら、時間が経てば経つほど忘れていきます。

そっか、最初のほうに書いてあることを忘れていたら、読みこめているとは言えないですね。

そう考えると、「じっくり読む」と「ゆっくり読む」は別物と思ったほうがいい。ゆっくり読むのが向く本は、例えば小説ですね。場面とか情景、時間の流れなどを楽しむ要素があって時間軸をイメージする時間が必要なので、読むスピードを制限され

る部分がどうしても出てきます。そういう場合は「ゆっくり読む」も大事です。

いや〜〜、話を聞くほど、「速読するならこれはダメ」っていう思いこみに縛られてたんだなって思うことがどんどん出てきます。

「速読ができない」とか「速読がうまくいかない」と思うときって、ほとんどの原因は誤解や解釈の違いに行き着くんですよね。間違って理解していることが原因の場合がほとんどなので、案外自分はできていると気づくことも多いはずです。

LESSON

05 集中力が続かない人でも速読できる

速読できるようになるには集中力を高める訓練とかしたほうがいいんですか？
じつは私、集中力がなくて……。

集中力がないのは、言われなくても気づいてましたよ！

うそ!?　バレてないと思ってたのに……。

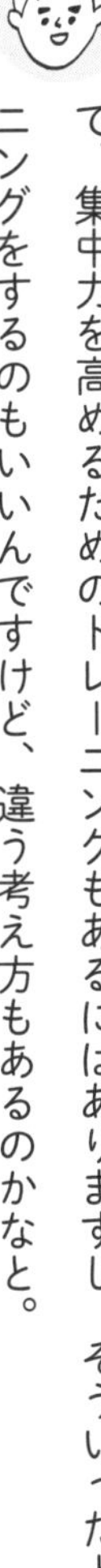

で、集中力を高めるためのトレーニングもあるにはありますし、そういったトレーニングをするのもいいんですけど、違う考え方もあるのかなと。

違う考え方って、どういうことですか？

僕が指導している生徒さんや読者さんにも、集中力が持たないと悩まれる方は結構多いんです。そういった方には、いつも「集中力が続く間、どこまで読めるか頑張ってみてください」とアドバイスしています。

タイムパフォーマンスをあげるということですか？

はい、短い時間しか集中力が続かないなら、短い時間で全部読み切っちゃってくださいと。

集中力を高めるよりもスパルタですね……。

そんなことないですよ！「集中力が切れたな……」って思ったら一度休んで、疲れが取れたら続きから読んでいくだけですから。

良かった～～。角田さんがついに本性を現してスパルタ指導を始めるかと思いましたよ。

まぁ集中力が続かない方ほどハードルはあがっていくんですけどね。でも、どこまで読めるのかを計るチャンスにもなりますし、**これを繰り返すと徐々に速読に慣れてきて、集中が続くようになるんです。**

集中力があがるなんて一石二鳥じゃないですか！

集中力があがるというよりも、リラックスした状態で読み続けることができるので、あまり疲れなくなってきます。

え、そうなんですか⁉　速読ってすごく疲れるものだと思ってました。

たしかに、これまでやってきた読み方と違うので、最初は慣れなくてめちゃくちゃ疲れると思います。僕も速読トレーニングを始めたころはめちゃくちゃ疲れていましたよ。

最初は疲れても、間違っているわけではないんですね。

はい、僕も速読のトレーニングをしていたときは、先生に「リラックスが大事」と横から言われるし、でも慣れないことをするから疲れるしで「難しい……」って悩みました。

角田さんにもそんな時期が？　でもどうやったら慣れることができるんですか？

「これまでの読書と違うことをやってるんだ」って割り切って、気持ちを切り替えることさえできれば、割と楽にできるんですよ。

本当ですか……？

そもそも速読自体はそんなに難しいものではないんですよね。基本的にはリラックスして、高速で見る、幅広く見るってところかな。極論を言ってしまえば、ただ見てるだけっていう言い方にもなっちゃうんですよね。

そう聞くと楽そうな気がするけど、やるのは難しいんですよねー。

そうなんですよね〜。ただ見るだけでいいのに、読書ってなると、なかなかできないものなんですよ。文字が視界に入ると、どうしても「読まなきゃいけない」「理解しなきゃいけない」って反射的に思ってしまう。それで「読む」と「考える」を同時に始めてしまうんですね。だから速く読めなくてストレスがたまり、リラックスできなくなるんです。「ただ見るだけ」を続けようとしても、「本当にこれでいいのかな」っていう気持ちが出てきて、自分で自分にストレスをかけるような状態になっちゃうんですよ。

それまさに自分のことです。見るだけって難しいんですね……。

でも、仮に旅行先で世界遺産の風景を見てるとき、ずっと景色を見続けて疲れるかって言ったら多分疲れないと思うんです。

はい、ずっと見てられます。

これってまさに、ただ見てるだけの状態ですよね。極端な言い方をすれば、これと同じ状態になるってことなんです。

へ〜。速読の「見る」って、あの感覚と近いんですね。

そうです。景色とか写真とか絵画を見るのは、すでにできているんですよ。でも見る対象が文字になると、「読む」と「考える」が反射的に出てきてしまいます。なので、僕が速読指導するときに最初にやってもらうのは、まず「読む」と「見る」の切り替えをちゃんとできるようにすることです。この方法は、あとで説明しますね。

ありがとうございます。切り替えができるか不安なので、くわしく教えてください。

わかりました。ちなみに切り替えのストレスは、普通の読み方に長年慣れている高齢の方ほど大きいと思います。

そっか。速読するには読み方のクセを取らないといけないんですね。

そうです。逆に言えば、**クセさえ取れれば速読はできると言っていいと思います。本当にそれだけ。**話を戻すと、速読をするうえで、リラックスは非常に重要なのですが、この練習をすると集中力を維持しようと頑張らなくても、「何時間でも見てられる」って感じるくらい、無理なく読み続けられるようになります。もちろん集中力を高めることも大事ですが、集中力が続く間だけ取り組む方法もありじゃないかなと僕は思っています。頑張ろうとすると、かえってつらくなると思うので。

でも先生、私の集中力10分しか続きませんよ？

一般的には、集中力が持続する時間はだいたい長くて10分から15分くらいと言われていますね。10分、15分であれば速読すると1章分とか2章分とか。本の内容によっては、小見出し1つ分だけで終わっちゃうかもしれませんが、そういう場合もあっていいと思います。

じゃあ10分で1章分を目標に取り組んでみようかな。

いいですね。速読のトレーニングは、ある程度の時間を確保して集中的にやったほうがいいんですが、実際の読書なら、短い時間で区切ってもいいんじゃないかと思います。

LESSON

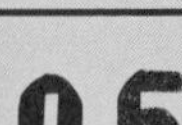

06 速読停滞期は誰にも必ず訪れる

速読のマスターを諦めてしまう方の中には、停滞期に入ったことに気づかず「自分には向いていない」と自分を責める方も大勢いらっしゃいます。

速読には停滞期があるんですか!? なんですか、そのおそろしい話……!

目をよく動かして速く読む〝トレーニング型速読〟は、勉強と同じようにスランプがあります。勉強って、ある程度成績があがると1回頭打ちになり、しばらく続けているとまたちょっとスコアが伸びるということがありますよね?

はい、まさにそんな風にスランプに陥ったことがあります。

それと同じ感じで速読トレーニングも、ある程度まではやればやるほど伸びていきます。けれども続けていると、どこかで記録が伸びなくなるときが訪れる方が多いんですよ。

え～、初めて聞きました‼　停滞期は具体的にいつくるんですか？　1か月後？　3か月後？

多いのは3か月後くらいでしょうか。でも、いつくるかは人によってさまざまで、一概には言えないところなんです。でもどこかで伸び悩む方はやっぱり多いかなと思います。

停滞期がない方もいるということですか？

僕はがっつりスランプに陥ったことはなかったんですけどね。なだらかに成長していったので、プチスランプくらいです。

……ここにいた……。ってことはスランプがないのは稀（まれ）ですね。じゃあ、どのくらい停滞期は続くんですか？　2週間？　1か月？

僕が今まで見てきた感覚では平均1か月ですが、これも人による差が大きいです。いずれにしても速度があがらない原因は、やはり「読む」クセがなかなか取れないことですね。「読む」と「見る」を切り替えるのが速読だという話をしましたが、切り替えられない状態でトレーニングを続けていると停滞期が訪れます。

「読む」と「見る」が切り替えられないと、停滞期がくる以前にそもそも速読できないんじゃないですか？

速読トレーニングには頭の回転をあげることで速く読めるようにする要素も入っているので、「読む」と「見る」があまり切り替わってなくても、そこそこ読書速度はあがるんですよ。けれども、「頭の回転があがる限界値まできちゃいました」って状態になると、読書速度の向上が止まってしまいます。

「読む」と「見る」が切り替われば、そこからさらに一気に伸びるんですか？

そうですね。**「読む」と「見る」の切り替えがなかなかできないままスランプ状態になってしまう方にいちばん多いのが、内容を「普通読み」のような感覚で理解したいと思ってるからなんですよ。**

ず、図星です……。

読むスピードをあげながら「普通読み」のように内容を理解することは絶対できないんです。やろうとすると、スピードがあがらなくなります。

そっか……。トレーニング以外に、切り替えられるようになるコツはありませんか？

割り切ることです！

気持ちの問題ってこと!?

はい。**「内容はわからなくてもいいから、とりあえず見とけばいいんでしょ」と割り切れた人ほど伸びますね。**僕もそう開き直った感じになった時期がありました。正直「速く見ていたら内容を理解できないけど、ただ見ているだけで本当にいいのかな……」と思いながらやっていた時期があったんです。で、「内容理解できないと意味ないし」って思っていたら伸びが鈍ってきたんですよね……。

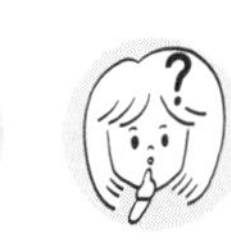
どうやってその伸び悩みを抜け出したんですか？

そのときに「速読トレーニングはとにかく高速で見ることが大事」とよく言われて、若干ヤケですが「だったら内容はわからなくてもいいんだろ。見てればいいんだろ」って割り切ったら、そこから伸びていったんです。で、その速く見る感覚に慣れていくと、頭の回転もさらにあがる感じがしていきました。だから「見てりゃいいんでしょ」くらいの気持ちで割り切るほうが、うまくいくんじゃないかなと思います。停滞期を突破するコツですね。

いや〜、角田さんでもヤケになった時期があったんですね〜。

ここで1つ補足しておきます。速読トレーニングをするときと、速読で本を読むときのスピードは違うので注意してください。トレーニングは「とにかく高速で見て

りゃいいんだ」とヤケになったほうがいいです。そして読書するときの速読は、ある程度スピードが落ちても気にする必要はありません。人によってはトレーニングはできても、読書となった途端なぞり読みに戻る方も結構多いんですよ。

切り替えられないってことですよね。なのに気にしなくていいんですか？

はい。速読トレーニングのおかげで、もともとのなぞり読みよりは速く読める状態になっているので特に問題ありません。

「そのレベルの速読じゃ無意味」と思う方もいるんじゃないですか？

そういう方にも「わからなくてもいいから、さっさと読め」というアドバイスがぴったり合うことが多いんです。

荒療治みたいですね。

でも実際、「見てりゃいいんでしょ、見てりゃ」って思って見始めたら、「『読む』を『見る』に切り替える感覚がわかりました」という方はかなりいらっしゃいました。

それだけで停滞期を抜けられると知らずに速読をやめちゃうのは、もったいないですね。 でも速読のトレーニングってやっぱりつらそうなので、私は途中で心がポッキリと折れる気がしてなりません。モチベーションを保つ方法も、ぜひ教えてください！

僕自身は速読を始めて3～4か月くらいで伸び悩んで、やめたくなったことがあります。そのときにモチベーションを維持できたポイントの1つが、毎回のトレーニング中や前後に、読書速度の記録を必ず取っていたことなんですよね。最初に言っ

たように、体感だと変化がわかりにくいので数字で記録を残していくんですが、その数字は絶対に前回よりもいい記録で終えようとしてたんですよ、僕。

でも停滞期なんですよね。つらくならないですか？

最初のうちは意識してハードルを低くしてたんです。たった1文字でもいいので、絶対前回よりもいい記録にするために……。

ズルい（笑）!!

停滞期があまりなかったっていう理由もじつはそこにあって、トレーニングするうえで、前回よりは1文字でもいいから絶対いい記録で終えるっていうのが、僕の中にあったからなんです。**ハードルが低くてもいいからそういう目標を持つっていうことも、モチベーションを保ち続けるためには案外大事だったりするのかもしれな**

いですね。

私も角田さん並みにズルい目標たてて頑張ります！

LESSON

07 自分が読みやすい方法がいちばん速く読める

学んだ速読法にこだわらず、自分がいちばん速読しやすい方法を見つけるのも停滞期を抜け出すひとつのポイントです。

えー!!　メソッド通りにやらなくてもいいってことですか？　角田さん、もっと早く教えてくださいよー！　ルールが多くてめんどうだなって思ってたんですから！

めんどくさいのがとことん嫌いなんですね（笑）。たしかにメソッド通りにできればいちばんいいので、あくまでも最初はメソッド通りのほうがいいと思うんです。けど、僕のやり方がそのまま全員に合うかっていうと、そうでもない場合も結構あるんですよね。いろいろな方を見てきた中で、全員が全員、僕のやり方をそのままやったほうが良かったかと言われると、そうじゃない方も正直いました。

角田さんの教えている方法が、でたらめってことですか……!?

いえいえ、あくまでも「僕自身はこれがベストでしたよ」と、全員に同じ指導をして同じように最初はやってもらうんですが、**力がついてきた方や速読の読み方に慣れてきた方は、自分なりのやり方を見つけたほうが速く読めるんです。**速読のしくみさえ理解できていれば、自分なりのやり方に変えても間違った方向にいくことはあまりありません。最初から我流でやってしまうのは危険ですが……。

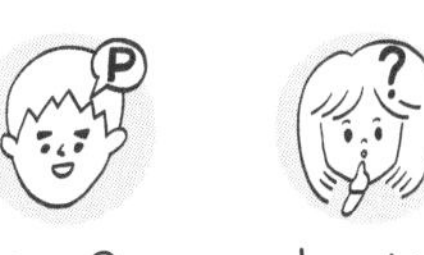

いつぐらいから「自分はもう基本をおさえたから自分なりの速読法を模索しよう」と考えていいんですか？

3か月で停滞期がくる方が多いっていうお話をしましたけど、停滞期を抜けるくらいまでの期間、つまりだいたい4か月目以降でしょうか。そこまでは、まずは基本的なやり方で続けたほうがいいと思います。基本のやり方だけでずっと伸び続ける方も当然いらっしゃいますので。

でも自分なりのやり方ってどうやって見つけたらいいんでしょうか？

例えば僕は3行を一度に見るとき、行の真ん中辺りを見る意識を持っているんです。でも、真ん中に目線を置くのではなく、上と下2点に意識を置きながら見るとスピードがあがったという方もいました。

そっか、基本のメソッドをベースにしながら意識を置くポイントを調整すればいいんですね。

僕自身も基本3行読みをしているんですが、あまり知らない分野の本だと知識が足りないぶん普通に読んでも理解が難しく、3行読みだと全然内容がわからないわけ

です。そういうときは1行単位で見ますし、反対に勝手を知っている分野なら、5行一度に見るなど、いろいろ変えています。

つまり本のジャンルによって読み方を変えるのも大切ってことですか？

その通り。自分がやりやすい方法で対応する柔軟性が、さらに成長していくためのポイントじゃないかと思います。基本も大事なんですが、そればかりだとどこかで頭打ちしてしまうので、やりやすい方法を模索しておくことは重要です。

いろいろ試すのが意外といちばんの近道かもしれませんね。

そうですね。わかる分野、慣れていない分野、応用のきく分野など、いろいろあると思うんですよ。**本は本当にたくさんあるので、全部同じ読み方で効率よく読めることはないと思ったほうがいいです**。なので、「この本だったら1行で見ていこう」

「この本だったら5行で見ていっても大丈夫そう」とか、1回目は5行で見て、2回目はなぞり読みするっていうのだってありだと思います。

何回読むかで変えていくケースもあるのか〜！　速読って自由だな〜。

より短い時間で、より深く理解できればなんでもOKです。

ゴールに辿(たど)り着ければなんでもいい（笑）。

そう、全部の本の読み方を統一しちゃうと、「やっぱり難しい……」と感じる本や「無駄に時間がかかる……」という気がする本が当然出てきます。そこで「難しい」ってやめてしまうのはもったいない。だから基本スキルだけじゃなくて、いろいろな本に応用する練習も大事だと思いますね。

最初に基本スキルを身につけて、そのあとも模索するなんて大変……。

継続さえしていれば、ある程度まではとりあえず伸びるので安心してください。そのあと、どこかで成長が止まったときに停滞期を抜けられるよう「だったらこうしてみたらどうかな」とプラスアルファでいろいろ試してみましょう。それは読書と並行することになるので、そこまで大変な感じにはならないと思いますよ。

はい、私も型をアレンジしながら自分流の技を見つけます！

LESSON

08 読むスピードがあがるほど読書の楽しさは薄れる

速読すると読書の楽しさを満喫できない感じがするんですが、私もしかして速読のやり方を間違っているんでしょうか？

小説だと、楽しさは半減するかもしれないです。

やっぱり！

間の取り方や情景など時間的な要素を楽しむものに関して言うと、早送りでドラマを見てるような感じになってしまうんです。

早送りって、すごいわかりやすい！

内容は把握できるんですけど、間を置いた駆け引きとかの楽しさはわからなくなっちゃうんですよね。そういう意味では、小説の楽しみは半減するかもしれません。

速読しても楽しいままだと思ってました。残念なような、やり方が合ってたとわかってうれしいような……。

純粋になぞり読みのスピードをあげれば、小説も、感動したりハラハラしたりしながら読めますよ。目の動きをよくする〝トレーニング型速読〟には、なぞり読みのスピードをあげるトレーニングの要素もあるので、現状よりも速いスピードで文字を追いながら、内容を理解できます。

つまり速読ほどのスピードじゃなくても、楽しさはそのままで今より速く読むことができるんですね！　それはうれしい！

はい、あくまでも小説などの本を楽しみたいときはなぞり読みのスピードをあげること、そのためにも速読トレーニングに取り組むことが大切なんじゃないかと思います。

ちなみに1冊200ページの本だとして、どれくらいまでだったら、なぞり読みで楽しさを保ちながら読めますか？

だいたい1分間に3000文字読むくらいのスピードでしょうか。それ以上スピードをあげると、間の取り方を楽しむというよりは、ドライに内容を把握する読み方に変わるというのが僕の考えです。ただ3000文字以上のスピードで読んでも、内容も情景も楽しみながら読めるという方もいらっしゃるので、人によって差はあ

ります。

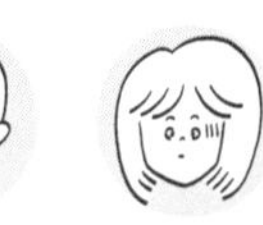
3000文字って結構速そうですね。

だいぶ速いと思います。一般的な読書速度の平均が、世代関係なしだと大体500～600文字くらいなんですよね。で、20～40代くらいの方であれば1000文字前後くらいです。

じゃあ、3倍速～6倍速になるんですね！

今の3倍速で読めるって考えれば、全然有効だと僕は思いますよ。

たしかにそうですね！　1冊の本を、今の3分の1の時間で読めるってすごいです！

ただ、間の取り方なども楽しもうとすると、どうしても読書速度があがらなくなりますし、「読む」と「見る」を切り替える速読にすると時間軸の楽しさは感じにくくなります。そういう意味でも、使い分けが大切ですよね。

テクニック型速読というのは、小説を楽しみながら読むのには向かないんですか？

小説にテクニック系は使えないと思ったほうがいいですね。テクニック型速読は自分にとって必要な情報だけ引き抜いてくる読み方で、関係ないところは読まず物理的に読む量を減らします。小説は全体から楽しさを感じ取る要素が大きいので、テクニック型速読で楽しく読むのは非常に難しいのではないかと思います。

じゃあ、これまで速読すると楽しむ感覚が薄れたのは、正しく速読できていたからだったんだ！ てっきり速く読んでも楽しく読めると信じこんでいたから、自分のやり方が違うのかと思ってましたけど、今ようやく腑（ふ）に落ちました。

LESSON

09 高速ページめくりで内容を理解するのは不可能

高速でページをパラパラめくるトレーニングをしたけれど全然速く読めるようにならない、全然理解できない、と悩まれる方がいます。

あ！　パラパラマンガを見るみたいな読み方ですよね。なんか見たことあります。あれって本当にあの速さで読めるんですか？

読めません！

即答……。じゃあ、あれはなんのために？

高速ページめくりは、すごく速く文字を見ることで、高速で見るのに目を慣れさせるトレーニングの一種なんです。よく高速道路と一般道でたとえられるんですが、高速道路を走る状態に目が慣れると、一般道に降りてきたときに景色の流れがいつもより遅く感じるようになるんですね。これを「可塑性（かそせい）」と言うのですが、高速ページめくりトレーニングは可塑性を引き出すのが目的で、たとえるなら高速道路を走る状態をつくっているんですよね。

あのスピードで読むのが目的じゃないということですか？

はい、普段読んでいるスピードがゆっくりに感じられて、いつもより内容を捉えやすくなるんですよね。そのための「高速で見る」トレーニングであって、高速でページをめくりながら文章を理解することが目的ではありません。そのあと一般道に降りてきて文章を理解するためのものなんです。

わー！　勘違いしてました！

高速ページめくりで挫折した方で、ここを勘違いしている方は結構いらっしゃるんですよね。

トレーニングの一過程だったとは……。

そこからスピードを落とすのがキモなんです。もともとのスピードまで落とすとかなりゆっくりに感じて、内容を捉えやすくなるだけでなく、いつもより速く読んでも普段と同じレベルで理解できるようになります。

難しい本でも理解しやすくなったり、速く読んでもきちんと理解できたりするのはうれしいです。

もしすごいスピードで本を読みたいのであれば、ジェット機に乗るとかそういうレベルのスピードでトレーニングをしていくといいでしょう。

酸素濃度の低い高地でのトレーニングみたいです。

負荷をかける意味では似てるかもしれないですね。

これから速読トレーニングを始める方がいたら、絶対このこと教えます！

はい、ぜひ教えてあげてください。高速ページめくりで見る力を鍛えること自体は有効ですが、イコール読書ではないことは知っておいたほうがいいですね。

高速ページめくりの効果的なやり方はありますか？

速く大量に見るといいでしょう。**でも理解するためじゃなく、見る力を鍛えるためにやっていることを忘れないでくださいね。**文字をなるべく速く捉えようとして可塑性を引き出していくことが大事なので。

そう考えると、いいトレーニングですね。

はい、そこさえちゃんとわかっていれば、きちんと活かせるものになります。

PART1

まとめ

- 「0.1 秒でも速く読み終えよう」
くらいの軽い気持ちで取り組む
- 「コーヒーが冷めるまでに何ページ読めるか」
など読む時間を計る
- 全体像を掴んでから詳細を理解するのが速読
- 正しく完璧に読もうとするより
速く読んでから考える時間をたくさん取る
- 集中力が続く間だけ取り組もう
- ハードルの低い目標を持つといい
- 自分なりのやり方は力がついてから
- なぞり読みのスピードをあげれば
小説だって楽しみながら速く読める
- 高速ページめくりは
見る力を鍛えるためのトレーニング

PART 2

これだけわかれば誰でも速読できる

LESSON

10 足りないのは理解力ではなく見る力だった

角田さんのこれまでのお話だと「理解する」より「見る力」が大事なのかなと思いました。理解力って、そこまで気にしなくていいんですか？

そうですね。特に最初のうちは、あまり気にしなくていいと思います。「理解する」というのは、書いてある内容を自分なりに考えて頭の中に落としこむことです。なので理解する力を高めるより、まず理解する時間を確保したほうがいいでしょう。その時間を確保するために読むスピードをあげることが重要なので、まず見る力を伸ばすというのが僕の考えですね。

理解するには力より時間が必要だったなんて、意外です！

そうですね。**見る力を鍛えることで、結果的に理解力もあがると考えていいと思います。**

正しく理解できてないなって思うときに挫折しそうになることが多かったんですが、見る力が足りていなかったというのは盲点でした。

たしかに速読トレーニングは、見る力を鍛えるものが多いので、理解までしようとすると挫折してしまうのも無理はありません。なので速読トレーニングをするときは「見る力を鍛えてるんだ。理解はあとから」という割り切りが大事ですね。

ちょっと質問なんですが、角田さんの言う「見る力」は「高速で見る」または「幅広く見る」で、できるだけ多くの文字を一度に捉えて、イメージを掴むってことで合ってますか?

はい、合ってますよ。文章の意味はわからなくていいので、「こんな言葉が書いてあったな」がなんとなく思い出せる程度で大丈夫です。うろ覚えのときの「あの辺にこんなのが書いてあったような……」っていうぼんやりとしたイメージをなるべく多く掴む感じです。

この「見る力」って、速読トレーニングをしたら本当に身につきますか？

誰でも身につきますよ。例えばさっき、一度に10文字ずつ捉えていくっていう話をしましたけど、10文字単位で見ること自体はもともとできていて、それを15文字とか20文字に増やしていくのが速読トレーニングなんです。

速読トレーニングをしなくても、見る力はある程度あるってことですか？

はい、長い文章だと難しいかもしれませんが、例えばレストランのメニュー表だと、だいたい1つのメニュー名って10文字前後だと思うんですね、長いやつは長いですが。ああいったメニュー表って、基本的に「読む」じゃなくて「見る」って言うじゃないですか?

本当だ! 店員さんに「メニュー表を見せてください」と言うことはあっても、「メニュー表を読ませてください」とは言わないです!

そうなんです、**メニュー表は「見る」と言いますよね。なぜなら、文字通り「文字を見てる」からなんですよ。文字を「見て」理解することは、ほとんどの方がすでにやってることなんですよね。**それが文章になると難しくなってつい「読んで」しまうので、文章でも「見て」理解できるようにしていきましょうというのが、トレーニング型の速読です。

私、メニュー表を速読してたんだ〜！

「読む」を「見る」に切り替えるって、言ってしまえば、10文字単位でもいいんでパッと文字を「見る」意識に変えるだけなんですよ。**それだけで2倍近く速く読めるようになる方も大勢いらっしゃるんです。**

今すぐ2倍速!? 希望がわいてきました！

はい、だからそんなに難しい話ではないんですよ。10文字単位でパッと文字を見て認識するのは、メニュー表以外に、標識や看板なんかでもやってますよね。あれも文字が書いてあるけど、「読む」とは言わず「見る」って言うじゃないですか。

本当だ！

ああいうものって、文字数を意識して書かれていると思うんです。ネット記事のタイトルでも「タイトルは13文字でまとめるといい」みたいなことも言われてますよね。

私も聞いたことあります！

それも、一目で捉えられるかが意識されているんです。新聞記事の1行が11～13文字くらいになっているのも同じ理由ですね。これを文章で応用しましょうという話で、もともとできていることをやるだけなんです。

速読って神業のような気がしていたけど、身近に感じます。

神業を目指したい方は、それはそれでいいと思います。でも最初は「読む」を「見る」に切り替えるだけでもかなりの効果を実感できるでしょう。さらに読書速度を

伸ばしたいと思われた方は講座でお待ちしてます（笑）。

あー‼　角田さんそれはズルいですよー（笑）。

LESSON

11 速読と飛ばし読みは一体なにが違う?

速読は概要を掴むとかイメージを掴むのが大切とおっしゃってましたが、必要ないものを読み飛ばすってこととは違うんですか?

いい質問ですね〜。**テクニック型速読は厳密に言うと、読まなきゃいけないところをあらかじめ特定して該当部分だけ読む方法です。**読む部分と読まない部分をあらかじめ分類するので、飛ばし読みもある意味では正しいんですよ。ただ、トレーニング型速読と飛ばし読みは違います。文字を見て、次へ目線を動かして……という動作の繰り返しをしているので、飛ばし読みしているわけではありません。

やってることは全然違うんですね。

そうですね。テクニック型速読は、いろいろな名前のものがたくさんあるんです。でも本質的には2種類に分類できると僕は考えていて、その2種類とも、基本的には読むところを絞りこむ方法です。

読むところを絞りこむ、ですか……？

読まないところを決めるとも言えます。

なるほど！　ところで、読まないところってどうやって決めるんでしょうか？　なぞり読みをしながら「ここは飛ばそう」とか考えればいいんですか？

はい、それでも大丈夫ですよ。テクニック型速読2種類のうちの1つに、「読む前にあらかじめなにを知りたいかを決めておく」というやり方があります。**「知りたい内容」をあらかじめ頭に置いておいて、それと関係なさそうだったら、小見出し**

単位、もしくは章単位でまるまる飛ばして次を読んでいく感じですね。

そんな大胆に読み飛ばしちゃっていいんですか？

そうですね。もちろんそれで読み進めていって「あれ？　知りたい内容がないな……」ということもあるかもしれない。そのときは1回戻って、もう一度探してみましょう。それでもなかったら、この本は自分にとって必要ないという判断になります。

思い切りのいい速読法ですね。

自分が知りたいことをしっかり捉えられるものの、そうじゃないことは捉えられないので、正直なところいい面と悪い面がありますね。

知りたいことがそこに書いてあるかどうか、自分で判断できる自信がありません。

ある程度の慣れは必要かもしれませんね。テクニックって、知っていても使えるというわけではないので。

え～。テクニックを覚えても、すぐには使えないんですか⁉

例えば逆立ち歩行のやり方は調べればきっとわかりますけど、それだけでできるかって言われたらできないですよね？

は、はい……。

それと同じようなことだと思います。

わかっていると、使いこなすは別物ってことかー。

テクニックはある程度使い慣れてるかが重要だと思うんですよね。サッカーでインサイドキックという蹴り方がありますが、あれって多分小学生とか幼稚園児でもできるはずなんですよ。でも、プロの選手がやってるインサイドキックとは、細かい部分で違いがたくさんあるはずです。

プロは場面に応じてもっと細かく調整しているんじゃないでしょうか？　場数も違いますし。

そうかもしれません。テクニック型速読もテクニックである以上、慣れで使いこなせる部分はあると思っています。

そうですね。じゃあ初心者の私がむやみやたらに使うのはやめようと思います！

いや、でも使わないと慣れないので、どんどん使ったほうがいいですよ。知ってさえいれば使ってみることは可能ですし。

難しい……。

テクニックは使ったほうがいいと思います。ただ、正しく使えているか不安もあると思うので、そのあとに読み返すことが必要でしょう。そういう意味で、先にトレーニング型速度を習得しておくと、不安になって読み返すときも、もともとより速いスピードで読み返せます。

テクニック型速読で読むにしても、トレーニング型速読のスキルはあったほうがいいんですね。

そう、あるに越したことはないです。テクニック型速読だけに走る方もいるんですけど、慣れるまでの間も含めて、テクニックが使えない場面や、なぞり読みで速読するしかない場面も結構あるので、両方ともやっておいたほうがいいですね。**僕が速読指導するときは、まずトレーニング型速読をひたすらやってもらっています。**そうして基礎的な力をつけたうえで、テクニックや場面別の読書法などを教えるという流れです。

順番的にはトレーニングありきでテクニックを乗せる……と。

スポーツの例を挙げましたけど、勉強もいっしょだと思いますよ。基礎的な知識を頭の中に入れ、それらを使いこなしながら問題解決をしていく。ただ速読は、できないことをできるようにするわけではなくて、できる力をさらに伸ばしていくだけなので、そこは違うんじゃないかと思います。

そうでした、速読はゼロからのスタートじゃないぶんハードルは低い！

LESSON

12 どんな速読法も目的はたった2つだけ

もう何度も話に出てきているんですが、ここで一度テクニック型速読とトレーニング型速読についてくわしく教えていただけませんか?

わかりました。

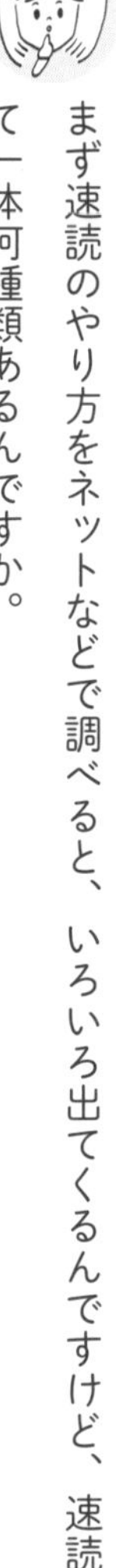

まず速読のやり方をネットなどで調べると、いろいろ出てくるんですけど、速読って一体何種類あるんですか。

まぁ、無限にあるんじゃないですかね。

（絶句……。）

いろんな名前をつけることができてしまうんでね……。いろいろな名前のついた、いろいろなメソッドが存在していますが、まずはトレーニング型とテクニック型の2つに分類できます。

はい、そこはまだかろうじてわかります！

で、まずテクニック型の速読にはたくさんのやり方があり、例えば左脳型速読など呼び方もさまざまなんですけど、大きくは2つに分けられます。**1つがスキャニングと言われる速読テクニック。もう1つがパラグラフリーディングというテクニックですね。**

え～っと、それぞれどんなテクニックか知りたいです。

まずスキャニングは、あらかじめ自分が知りたい内容を明確にしたうえで、それに関連するところだけ読んでいく速読テクニックです。

飛ばし読み要素が強そうですね。

そうですね。ちょっと長くなりますが、一気に説明します。「知りたい」って思ってるところしか読まないので、読む量を物理的に減らせるのがスキャニングです。当然速く読めますし、最速で知りたいことの答えを見つけられるとも言えます。仕事上の資料を読み解くときとか、課題を解決するためにヒントが欲しいときとかは効率的に読み進められるんですね。けれども、自分の意識が向けられるところしか見ていない状態なので、自分が想像もしないような新しい発見とか考え、ひらめきを得たいときにはあまり向きません。自分が気にかけない内容は視界に入らないので、気づきようがないんです。想像もしなかった意外な発見が得られないのは、読書の観点で考えると大きなデメリットでしょう。これがスキャニングのメリット・デメリットです。

なんとかついてこれました！　もう１つがパラグラフリーディングですね。

パラグラフリーディングは、文章構成から、どこになにが書かれているかをある程度想定したうえで、把握したい要点を先に得ようとする読み方です。

これまた難しそうですね。

わかりやすく説明し直します！　例えば、起承転結という文章構成があるじゃないですか。

はい。

その起承転結で書かれている文章なら、結、つまり結論が書かれているところを先に読む方法です。

ドラマの最終回だけ見るような状態ですか？

そうですね。**エンディングだけ見ちゃっておしまい、というやり方です**。そうすることで「結論はこれを言いたいんだ」とわかっているので、残りの文章は読まないという選択肢もあるし、仮に残りの部分の文章をあとで飛ばしながら読んだとしても、「こういう結末に行き着くんだ」って知っているので、なんとなく全体の内容を把握できるんです。

スキャニングより効率いいですね！

最近だとＰＲＥＰ法という、最初に結論を書いて、あとでその根拠とか具体例を出す構成の文章が増えていますが、そのタイプなら最初の文章を読んでおしまいってするのもありだと思います。

読む量が４分の１とか５分の１とかで済みそう！

いずれにしても、テクニック型の速読はいろいろな名前がつけられていますが、「結局これスキャニングだよね」ってなるか、「結局これパラグラフリーディングだよね」ってなると考えていいと思います。もちろん、それぞれのテクニックには独自要素も含まれているかもしれませんが、ベースのテクニックはこの２種類だと考えると、早く使いこなせるようになると思いますね。

無限にあるけど、本質は2種類！

よかったー！

名称はいろいろあるんですよ。でも「テクニックでできます！」って謳っている速読なら、スキャニングとパラグラフリーディングを意識して中身を見ていけば、どちらかのテクニックが根底に垣間見えるはずです。いずれにしても共通するのは「物理的に読む量を減らす」ことです。

そういう意味では1種類に集約されますね。

あとは、「事前になにを知りたいか」を明確に頭に置いていることも共通点です。なので、知りたいことを明確にするための準備が必要。そこに割く時間がない方にとってはデメリットかもしれませんね。

そうか。準備なしで読んでも無意味なのかー。

はい、課題とか悩みがあるなら、そんなに準備は必要ないんです。でも「自分の知りたいこと」が明確になっていない場合は、その準備自体が大変なので、めんどくさいって感じることもあると思います。

じゃあ調べ物するときに使います。

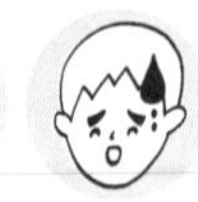

でも知りたいことって、今だとネットで調べられることが多いですよね。

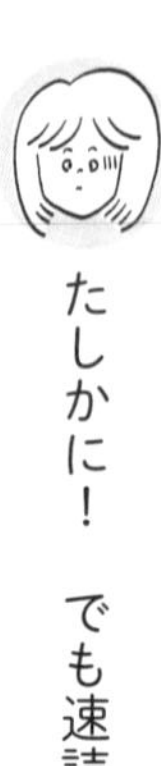

たしかに！　でも速読の先生がそんなこと言っちゃうなんて！

昔はわからないことがあれば「本で調べよう」ってなってたと思うんですが、今はネットで解決できちゃうんですよね。だから、**テクニック型速読を使う場面って結構限られるのが正直なところかなと。**

いくら速読でも検索には勝てないか……。

ネットがない時代ならテクニック型速読も有効ですけど、今だと「そこまで必要か？」って言われると……。今はどちらかと言うと、自分で考えつかないような刺激をもらう読書のほうが、本を有効活用できるんじゃないかなと思いますね。でも、仕事で業務マニュアルや作業手順書などを読まないといけない状況など、テクニック型速読を活用するといい場面も当然あるので、まったく活かせないわけではないんです。ただ、昔に比べると活かせる場面は減ってきているとは思います。

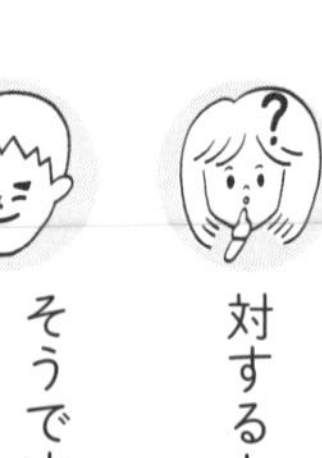

対するトレーニング型はこれまでお聞きしてきた速読術ですよね？

そうですね、**トレーニング型の速読は、もともと持っている力を伸ばして、さらに速く読んでいきましょうというものです**。高速で見る力、幅広く見る力の2つを鍛えて、速く読めるようにしていきます。あとは頭の回転をあげる能力開発要素もあるので、複合的に読むスピードをあげていけるんです。

頭の回転が速くなると理解力があがって、読むスピードもあがるってことですか？

そうですね。高速で見るトレーニングを続けていると、そのスピードに頭がついていこうとして、頭の回転もあがるイメージです。脳が速いスピードで内容を捉えようとし始めるわけです。先程も少し触れた「可塑性」ですね。

高速道路のスピードに慣れると、一般道を走ったときにゆっくりに感じるって話でしたね。

はい、よく覚えてましたね。あれがまさに可塑性が引き出されている状態です。文章も、高速で見続けていると頭の回転をあげて速いスピードに慣れようと脳が頑張って、もともとのスピードよりも速く読めるという考え方です。速読法で、右脳とか左脳とかっていうキーワードがよく出てくるのはこのことを言っています。

なんだー。右脳・左脳って出てくると難しい話だと思ってたけど、そういうことだったんですね。

そうです、単純に言えば脳が速さに慣れていくという話です。

そういえば、トレーニング型速読にもテクニックがたくさんあると思うんです。斜めに文字を見るとか、どこに視点を置くかとか……。これも、どうやって速く見るか、どうやって幅広く見るかのやり方が違うってことですか？

いい質問ですね。目的はあくまでも高速で見る力を鍛えることと、幅広く見る力を鍛えること。で、その2つの力を鍛える方法がたくさんあるってことですね。僕みたいに3行単位で読む方法もあれば、斜めに文字を追う読み方をすすめている方もいますが、目的はすべて同じです。**方法によって合わない方もいるので、「うまくできない」という方は別のトレーニング型速読に切り替えると伸びていく可能性があります。**

やったー、読み通り！

極端に言えば、例えば、ボクシングの世界チャンピオンになった亀田3兄弟が、お父様の投げる卓球のピンポン玉をかわすトレーニングが昔テレビで紹介されていましたが、あれも高速で見るトレーニングにつながると思います。

えー！　あれ速読のトレーニングだったんですね。

いや、違いますよ？　速読につながりますけどね。あとはこれもＹｏｕＴｕｂｅで紹介されていたんですけど、亀田さんのボクシングジムで広い壁に数字がランダムに書いてあり、お父様が言った数字を素早くタッチするというトレーニングをされていたそうなんです。これは視野幅を広げることにつながるので、多分そのまま速読トレーニングとしても通用しますね。

角田さん、もしかしてボクシング始めようとしてます？

いいえ、やり方はたくさんあるんですよってことを言いたいだけで……。痛いのは嫌だし……。

スポーツ選手はすぐに速読を習得できるかもしれませんね。

逆に速読トレーニングがスポーツに活きることもありますよ。以前、速読指導していた方からお聞きしたんですけど、僕が指導している速読トレーニングを息子さんがやったら空手のレベルがあがったと。

えー!!　そんなことあるんですか？

「速いスピードに慣れてきたことで、相手の動きが見えるようになった」ってことで、お礼のメッセージをいただいたんです。

角田さん、空手教室でも教えたほうがいいですよ。

いやいや、だから痛いのは嫌だと……。まぁ、いずれにしても空手に限らず、スポーツを上達させたいならば、その競技向けのトレーニングをやったほうが絶対効率いいです（笑）。

そうですよね（笑）。

LESSON 13

トレーニング型から始めるのが最も効率的

角田さんのお話をお聞きして、トレーニング型速読から始めようと思ってはいるんですけど……。

なにか始められない理由があるんですか？

トレーニング型速読は習得に時間がかかるんですよね？　そう考えるとどうしても重い腰があがらなくて……。

たしかに習得に時間がかかるのはトレーニング型速読のデメリットだと思います。**テクニック型速読は、やり方を知ってさえいればすぐに使えますし、あとは慣れるだけでいいので、取りかかりやすいというメリットがあります。**しかしテクニック

型速読でうまくいかない場合、やっぱりトレーニング型の速読力が身についてないと、読む速度はあげられません。ですからトレーニング型がベースにあって、その上にテクニック型を乗せたほうが確実に力がつくのかなと。

ですよね……。じゃあ、仕事でどうしても分厚い本を読まなきゃいけないけど速読力がついていないときは、テクニック型速読をいきなり取り入れてもいいですか。

とにかく今すぐ速読したいんですね（笑）。

そうなんです、今すぐ速読したいんです。

そういう場合はいいんじゃないですか。仕事でそういう状況になった場合は、対応しないことにはどうしようもないし、そこで「これからトレーニング型速読をマスターするぞ」って言ってたんじゃ遅いので。ただ、トレーニング型速読も、日頃か

らちょこちょこ練習したほうがいいと思います。特に「読む」と「見る」を切り替える意識を持つことが大切ですね。**普段の読書でも、この切り替えを練習するとトレーニング代わりになります。**

無理に時間をつくらなくても、本を楽しみながらトレーニングできるのはうれしいです。あと、もう1つ聞きたいことがあるんですが、速読トレーニングはずっと続けなきゃいけないんですか？

最初は、ある程度は続けて取り組んだほうがいいんですよ。継続して、「読む」から「見る」に切り替える感覚をつかみ、1行でもいいので行単位で見えるようになったり、高速でそれなりにイメージを捉えることができたりしたら、あとは読書がトレーニングになってくれます。

求められる要素が微妙に多い気がするけど、でもトレーニングをやめてもいいんで

すね！

もちろん速読トレーニングをひたすら続けたほうが力は当然伸びますけど、ある程度の力なら維持できますから。日頃から読書で力を維持しておいて、いざ「歯応えのある本を読め」って言われたときに活かせるようにしておくといいんじゃないかと思います。

ありがとうございます（拍手）。そういう話を聞きたかったんです！

ですが最初のトレーニングが重要です。半年から1年くらいかな……。僕が速読トレーニングを始めたときには「長くても短くても1年やれ」って言われましたね。

それは長いです〜。

あー、せっかくやる気を出してくれたのに……。僕が速読を習っていた当時、先生は半分冗談、半分本気かもしれないですけど、「1年続けても伸びない人は素質がない。**でも1年続けてなにも変化がなかった人は、これまでに見たことがない**。実際に『できない』と言う人は1年続けることができない人で、そもそも1年も続けられないような人は、なにやっても多分うまくいかないよね」って言ったんですよね。個人的には習得できればずっと活かせるスキルだと思っていたので、何年か続けるつもりではいましたが、先生に言われた通り半年くらいで十分なレベルまで伸びました。そこからあとは維持する感覚で続けたら、結果的にはそれで日本一までいけました。

6か月で日本一になっちゃったんですか!?

厳密には9か月ですが、しっかりやったと思えるのは半年くらいです。そこから出張が増えて、あまり速読教室に行けなくなっちゃったので、力を維持するために本を読んだり、日常生活でできるトレーニングを空き時間にやったりして1位までいきました。

すごすぎる！　じゃあ半年から1年の速読トレーニング期間は、どれくらいの頻度でトレーニングをすればいいですか。

僕自身がやってたのは、毎週1回2時間のトレーニングだけですね。

良かったー、毎日1時間って言われたらどうしようかと思ってました。

ただ、毎週1回2時間は絶対欠かさないっていう条件でやってましたけど。例えば、「今週は厳しいから、来週3時間やってカバーしよう」とかはなかったですね。「必ず毎週1回2時間はやる」を維持していました。

週1は絶対ですか？

さっき可塑性の話を出しましたが、速読トレーニング初期に1週間以上空くと、元の状態に戻り切ってしまうらしいんですね。なので最初のうちは1週間以内にもう一度トレーニングし直すほうがいいと教えられたんです。再度トレーニングすれば、また高速で文字を見る感覚は戻ってくるので、それを半年間続けました。

……私にもちゃんと続けられるか不安です。

ただ、これは僕自身のやり方でもあるし、このときは大会に出ることになっていたため、少しでも上のレベルに向かえるようにしていたところも正直あるんです。大半の方は速読の達人を目指すわけじゃないので、そこまで厳密にやる必要はありません。**1日10分とか15分程度のトレーニングを、コツコツとやっていく方法でもい**

いですよ。

週1回、10分のトレーニングでもいいですか？

言うと思いました（笑）。そうですね。1日10分とか15分でやるんであれば、なるべく毎日コツコツやるほうがいいかなと思います。

残念……。でも時間をつくらなくていいなら、なんとか頑張れそうです。

そうですね。最初のうちはそれでも全然いいと思いますよ。

ところで速読のトレーニングって、ドリルなどをするのがいいんですか？　それとも本を読みながら練習するほうがいいですか？

結論から言えば、両方とも大事ですね。トレーニング型の速読で言うと、まず「高速で見る力」「幅広く見る力」をあげる意味では、ドリルなどのトレーニングをするほうがいいと思います。日常生活の中でもトレーニングできるので、取り組みやすいはずです。

例えばさっき話に挙がった、動体視力を鍛えるボクシングのトレーニングとか？

はい、ただそれだけだと、本を読むときに、文章を「読む」から「見る」に切り替える矯正はできていません。ですから「読む」クセを取るための読書もやったほうがいい。それぞれ目的が違うんです。

読書はトレーニングじゃなくて矯正なんですね。

結局いくら「高速で見る力」「幅広く見る力」があっても、「読む」を「見る」に切り替えられないと速読には活かせないんです。

トレーニングだけ、あるいは速読法を取り入れるだけで速読をマスターできると思ってました。

そう思われている方は多いかもしれないですね……。

それから、ほかにも聞きたいことがあります。初心者が速読を始めるときのアドバイスはありますか？　必要なものとか、環境とか……。

そうですねー、リラックスしてできる環境が大事かな。

具体的には？

僕は、クラシック音楽みたいなリラックスできる音楽がかかっている部屋でやってました。

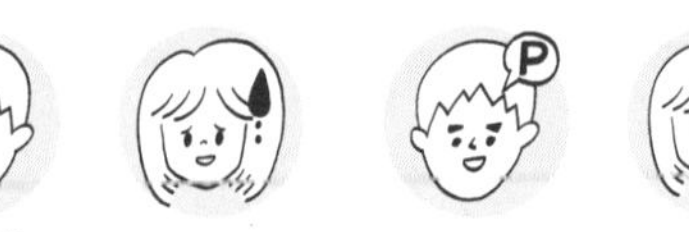

途中で寝る予感しかないんですが……。

そもそも速読トレーニングは結構単調なものが多いので、眠くなりやすいんです。でもそれは正しくトレーニングできている証拠なので、あまり気にしなくていいんですよ。

でもそれじゃトレーニングが全然進まないんじゃないですか？

それを見越して、コーヒーを飲んだり飴玉(あめだま)を口に入れたりして、クラシック音楽を聴きながら、速読トレーニングしてました。

眠くなるのは理想だけど、寝ないように対策を取るんですね。

本当に寝ちゃうと文字が視界に入らなくなるのでダメですよ(笑)。たまに生徒さんからも「寝ちゃいそうなんです」って言われるんですけど、「寝なければ大丈夫ですけど、寝ないでください」って言ってます。いずれにしても、リラックスできる環境で行うのがポイントです。

とにかく気合いを入れて集中しないといけないんだと思ってました。

「頑張るぞ!」みたいな雰囲気にはしないほうがいいと思います。トレーニングを継続する意味で「頑張るぞ!」と意気込むのはいいんですが。

でもどうして、リラックスできる環境がいいんですか？

本当にリラックスできると、頭の回転がすごくあがってくる感じになり、視野幅もすごく広がります。**この状態って、ものすごい集中力が高まってる状態なんですけど、眠ろうとしているときのようなボヤーッとした感じになるんですよね。**

そうなんですか!!　そこまで集中できたことがないです。

そういう状態に入れるのは、結構トレーニングを積んだ方です。ただそこまでいくと、自分は寝てるんじゃないかって思う方もいらっしゃるので、「文章にはちゃんと意識を向けてくださいね」「文字は視野に入れておいてくださいね」とだけはアドバイスしています。やっぱり大事なのはリラックスすること。ちゃんとできている方ほど、リラックスできる状態に持っていけているので。

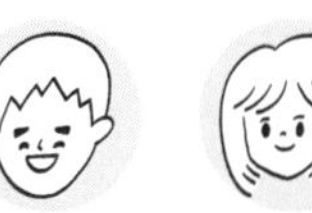

私もそんな極限の集中状態を経験してみたいなぁ。

10分、15分のトレーニングでそこまでになるってことはあまりないと思いますが、仮に寝そうになったとしても、それは悪い状態ではないので安心してください。

LESSON

14 テクニック型速読を始めるサインとは

半年から1年くらいはトレーニング型速読をしましょうとおっしゃってましたが、そこまでやればテクニック型速読に移行してもいいんですか？

いや、4か月目以降かな……。

トレーニング型速読をきちんと習得する前にテクニック型速読も始めるんですか？

これまで指導してきた経験上、トレーニング型の速読は3か月目くらいで停滞期に入り、その後1か月で挫折の壁を乗り越えられる方が多いので、そのタイミングで次のテクニックに入ってもいいと思います。極端な話、「読む」と「見る」を切り替える感覚が「こういう感じだな」とわかったら、始めて1～2か月でもテクニック型速読を同時に使い始めて全然問題はないでしょう。やっぱり個人差が大きいですね。

何か月やったかより、どこまで習得できたかが大事なんですね。

はい、ポイントは「読む」と「見る」の切り替えができるかどうか。これさえできればテクニック型速読にも慣れていっていいと思います。

じゃあ、切り替えできるようになったりとか、スランプから抜けたなって思えたりするタイミングで始めるといいですね。

経験則ですが、**4か月目くらいがいいんじゃないかと思います**。僕も最初の3～4か月目まではトレーニング型速読に集中して、それ以降は読書を兼ねてテクニック型速読も併行しました。

私飽きっぽくて、3か月以上同じことをやってられる自信がなかったんですが、新鮮なものが入ってくると、また楽しく続けられそうです。

もちろん先程おっしゃったように、テクニック型速読を使ったほうがいい場面も当然あると思うので、厳密にやっちゃいけないって思わないほうがいいですね。「それはそれ、これはこれ」で分けて考えればいいだけで、テクニック型速読を活かせる場面では使ってもいいでしょう。ただ、トレーニングはトレーニングで積みあげていったほうがいいですよね。

いやー、聞けば聞くほど速読って自由ですね。

そうなんですよ、良くも悪くもですが。自由であるがゆえに、これはいいのかって悩む部分も結構出てくると思うので、なんでも聞いてくださいね。

ありがとうございます。ではさっそく1つ聞きたいことがあります。

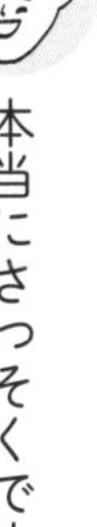

本当にさっそくですね。

トレーニング型を半年くらい続ける、でも4か月目からテクニック型を取り入れるとなると、重複する期間がありますよね。そこはどういうペース配分で進めていけばいいですか？

速読トレーニングは、1日10〜15分でもいいので続けてください。テクニック型速読は読書しながらでないと身につかないので、別物と考えたほうがいいでしょう。

じゃあ、読書の時間をつくる必要があるんですね。

今、心の中で「そんな時間ないよ」って思いませんでしたか？

そ、そんなこと思ってま……した。

テクニック型速読は、ものすごくシンプルに言えば、要点や自分の知りたいことを掴めればそれで終わりなので、意外と時間はかからないものなんです。本にもよりますが、例えばパラグラフリーディングで200ページの本の結論だけ拾いながら読み進めるなら、多分1時間以内で終わると思うんですよね。

普通に読書することを考えたら速いですね。

そんな感じで、週1回1時間くらい時間をあててテクニック型速読を試していけばいいと思うんですよ。

30分や1時間確保するのも難しい場合は？

1日1章とかでもいいと思います。その時間でスキャニングをやってもいいですし、パラグラフリーディングで、まずは1章だけ見ていくのでもいいでしょう。

でも読むのに時間がかかる本もありますよね？　どんな本で練習したらスムーズですか？

基本的に自分が読みたい本を使うのが大前提です。字が細かくて分厚い本を読みたいと思うなら、それを使ってもいいですよ。

そんなこと絶対思いません！　あ、自分の興味ある本とか、自分がある程度知識のある本でやるのはどうですか？

すごくいいと思います。読書として得られる知識は少ないかもしれませんけど、テクニック型速読のコツを掴む目的を考えると効率いいですね。

よし、いちばん効率的に、トレーニング型速読もテクニック型速読も身につけます！

LESSON

15 おすすめできない速読法ってあるの？

テクニック型速読は使い道が限られるというお話がありましたが、この速読法は手を出さないほうがいいよっていうのはあるんですか？

そうですね……。さきほど、一度に見る文字の量を速読トレーニングで20文字、30文字、1行、2行、3行……と増やしていくとより速く読めると話しましたが、これを3行から5行、7行、1ページっていうレベルまでにすると、1ページ分をパッと見て理解する、いわゆるフォトリーディングの状態になります。

フォトリーディング？

私はフォトリーディングの講座を受けたことはないので、実際は違うのかもしれませんが、1ページまたは見開きページを、写真を撮るように理解する読み方と言われています。ページ全体をパッと見て理解するのは、それと同じ状態なのかなと。

「幅広く見る」「高速で見る」トレーニングを積んでいけば、フォトリーディングができるんですね！

ただ日常生活で本を読むことを考えると、3行を見て理解できるレベルであればだいたいの方は事足りると思うんですよ。だから1ページをパッと捉えるまでトレーニングをする必要があるかは正直、疑問です。

本当に切羽つまったらそのスキルはうらやましいですけど、できるようになるのに時間がかかりそうですね。

そうなんです、無駄に大量の時間を注ぎこんでも読むスピードを極めたい方って、そんなにいないと思うんですよね。そもそも目指す必要もないと思いますし。

それ、本当に速読日本一の方の発言ですか!?

そこまで鍛え続けるトレーニング時間があれば、そのぶんの時間で3行単位の力で本をたくさん読んだほうがいいという人のほうが多いと思うんです。

角田さん、辛辣ですね（笑）。

実際、1ページ単位で内容を捉えることができる方もいるとは思うんですけどかなりハードルも高いので、「無理してそこまでのレベルを目指す必要はないのでは？」っていうのが僕の考えですね。

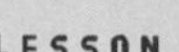

LESSON

16 速読を最短でマスターするなら小説を使おう

速読の練習をしながら本を読むなら、どんな本を選ぶと挑戦しやすいですか？

繰り返しになるのですが、読みたい本、あと勝手がわかる分野の本がいいですね。
もう１つ挙げるとしたら小説です。

なんで小説なんですか？　いちばんゆっくり読みたくなりそうですけど……。

「読む」から「見る」に切り替えたときに、文字をパッと認識してイメージを浮かべやすいんです。例えばまたメニュー表の話ですが、レストランのメニュー表に「カレーライス」と書いてあるのを見たら、反射的にカレーライスのイメージが頭に思い浮かびます。それで「カレーがあるんだ」と理解できるわけです。

えっ、メニュー表と小説にどんなつながりが？

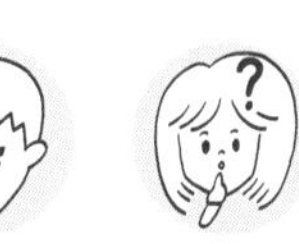

「読む」から「見る」に切り替えて文章を理解するというのは、基本的に言葉からイメージへの変換作業です。なので、なるべくイメージしやすい本を使うと、「読む」から「見る」に切り替えやすくなって、速読トレーニングもしやすくなります。高速で見る力と、幅広く見る力が重要だという話をしましたが、イメージする力も速読の力を伸ばしてくれるんです。

小説はイメージが思い浮かびやすいんですか？

専門分野の本だと、その分野のことをわかってる方しかイメージが思い浮かばないと思うんですけど、**基本的に小説には誰でもわかる言葉が使われているので、多くの方にとっての最適なトレーニング教材になると考えています。実際、僕も指導の**

場では、トレーニング用の文章は小説メインで選んでいます。

どういう教材なんですか？

宮沢賢治とか、芥川龍之介とか、著作権フリーの文章ですね。

その教材になにかすごい秘密が隠されていたりはしないですか？

まったくないですね。一般的な小説ならばなんでもいいので、「この文章あまり好きじゃないんです」「違う文章じゃダメなんですか？」っておっしゃる生徒さんには「違う文章でかまいませんよ」ってお答えするくらいです。

角田さんが隠してる秘密を暴きたかったのに、全然出てこない……。

すみません、でもイメージしやすい文章でトレーニングするのがポイントなんです。

まだ諦めませんよ！　例えば行に数字が振られてるとか、何文字ずつ丸で囲まれてるとか、そういうしくみはありませんか？

いや、そういうのは特にないですね。たしかに読書速度を計算しやすくするために、各ページに「ここは何行目だよ」と行数は振ってますけど、あくまで計算しやすいように使っているだけなので……。

もしかして、それがすごい秘密ってことはないですか？

それはないと思います。強いて言うならば、「今まだ何行目で、いつもより少しスピードが遅いからもうちょっと速く読もう」っていう気持ちにさせるような精神的な影

響があるのかもしれません。でも正直わざわざ行数を振らなくてもページを見れば同じなので。

そうですか……。でも秘密がないぶん、誰でもできるってことですね。

そうですね。トレーニング自体は誰にでもできるものだと思いますよ。

ところで小説で速読を練習するときは、映像が頭に思い浮かぶようにイメージできたほうがいいんですか？

そこまではっきりとしたイメージでなくてかまいません。**ちょっと暗い雰囲気の文章だなとか、明るい内容のことが書いてあるなとかいうレベルで全然ＯＫですね。**

良かった！　それならできそうだし、たしかに小説のほうがイメージしやすそうですね。

理想は自分が興味のある本、勝手がわかってる分野の本ですが、迷った場合は小説でトレーニングをしていただけるといいと思います。

でも伏線が張られているような推理ものって、速読と相性悪いってことはないですか？　勝手なイメージですけど……。

今のお話は速読トレーニングとして使う本という前提で話をしていたのですが、読書の場合、推理小説って流れやテンポ、間の取り方も考えるので、結構読むのが止まっちゃうと思うんですよ。そういう意味では速読と相性が悪いかもしれないですね。「結末とあらすじさえわかればいいや」くらいの感じだったら速読でも問題ありませんが、楽しむというより、内容把握になるのでもったいない気も。その意味

では、ほかの小説も似たことが言えると思います。

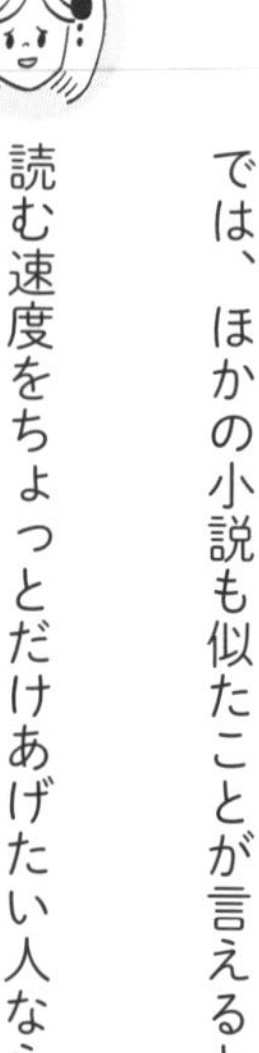

読む速度をちょっとだけあげたい人なら、速読で読んでもいいですか？

どうしても推理小説を速読したいんですね（笑）。高速で見る速読トレーニングとか、幅広く見る速読トレーニングを積んでいけば、なぞり読みのスピードも少なからずあがります。その速度範囲で読めば、展開を楽しむ時間も確保できるでしょう。

わー！　推理小説を速読しながら楽しめる！

読んだことがある小説を使うのもいいかもしれません。少なくとも一度は興味を持った本でしょうから。ただ同じ本ばかりずっと見ていると、ほかの本を速読するときに応用がきかなくなるので、ときどき違う本も見たほうがいいんじゃないかな

と思います。

あとでもう1回読もうと思いつつ読んでない本がたくさんあるので、それをトレーニング用にします。好きな本だから読む気になるし！

トレーニングとして割り切りやすくなって「読み飛ばしちゃいけない」というブレーキがかかりにくくなるので、おすすめです。

LESSON

17 習得速度は先生との相性で決まる

速読の教室も本も本当にたくさんありますよね。どうやって選ぶと失敗しませんか？　あ、角田さんの本と角田さんの教室はとりあえずナシでお願いします（笑）。

え、これだけ聞いておいて……。でも、わかりました。**まず教室の場合は、なるべく自分に近い雰囲気の先生を選ぶのがいいと思います**。というのが僕自身、周りの仲間たちに「速読教えて」って言われたのが教え始めたきっかけなんですよね。共通意識があるぶん、こちらは教えやすかったですし教わる側もよかったみたいです。反対に、僕が速読を習ってた先生は、僕が「速読を教えてるんですよ」って話したら「君からは教わりたくない」って言われました。

どうしてですか!?

僕も最初は「なんで？」と思っていたら「シニア世代は若者から教わることに、どうしても抵抗がある。やっぱり同世代から教わりたい」と言われたんです。先生の年齢は聞いていないですが、おそらく70代です。「君のやり方に文句はないんだけれども、受けたいかと言われたら嫌だ」という話だったんですよ。そんなこともあるので、先生との相性で速読習得に差が出る部分は絶対あると思ってます。

たしかに学生時代の授業でも、この先生に教わったら勉強が好きになったとか、説明はわかるんだけど、あまり頭に入ってこないとかはありました。

それも全部いっしょだと思います。速読の場合、同じ系列でも池袋の教室だと相性はいいけど、新宿の教室は相性が悪いといったこともあると思うんですよね。なので、「誰から教わるのか」は気にしたほうがいいのかなと。

でも自分と雰囲気の似た先生ってどうやって見つけたらいいんでしょうか？

本の場合もそうですが、なるべく自分と経歴が似てると言ったらいいのかな、悩んだときに相談に乗ってくれそうかがポイントになると思います。

経歴が似てると悩み相談に乗ってくれるんですか？

例えば僕は、国語は特に苦手で文章を読むのは嫌いだったので、国語が苦手な方とか、活字嫌いな方の気持ちはよくわかるんですよ。だから、その立場で文章を書けるしアドバイスや指導ができるんですね。

速読を教える方や本を出されている方って知的なイメージがあります。

ですよね。実際そういうタイプの方が多いので、僕からすると「自分とは世界が違う」と思う先生もいます。逆に、権威のある大学の教授から教わりたい方だと、僕のように国語嫌いなタイプとは合わないと思うんですよ。

じゃあ、自分と似た経歴の方や、この人みたいになりたいっていう先生を選ぶと良さそうですね。

ええ、結局指導内容というよりは、アドバイスの方法や生徒さんと同じ目線で指導できるかの差が大きいです。そもそも「速読＝速く読めればいい」なので、どこで教わっても本質的な部分は大きく変わらないと思います。

目的がいっしょだからこそ、先生との相性が重要なんですね。

1つ付け加えたいのが、テクニック型速読を教えている先生はトレーニング型速読を批判しているケースが多く、トレーニング型速読を教えている先生はトレーニング型の速読しか教えない場合が多いということです。でも、どっちがよい悪いではなく、両方ちゃんと教えるのが大事だと思っています。速読に対する考え方の相性も含めて考えると、いい先生が見つかるんじゃないでしょうか。

合わない速読法や合わない先生から学ぶのはスパッとやめたほうがいいですか?

合わない場合はどこかで限界が必ずくるでしょうから、そこで見切りをつけるという選択肢も必要だと思いますし、逆に「この先生以外、ほかにはいないな」と思ったら、その先生に徹底的に従って、ひたすらついていくほうが伸びると思います。

私は国語苦手だから角田先生に教わろうっと。

なんかちょっと失礼な気がするけどまぁいいや（笑）。**自分と似ている先生だと質問しなくても聞きたいことをあらかじめ教えてくれることがあります。**

どういうことですか？

なかなか質問できない方や本で勉強する方は、指導中に言われたことや本に書いてあることから答えを見つけるしかないですよね。自分だけで考えこんでもなかなか答えは出ないと思います。でも慎重に先生を選べていると、似た立場からアドバイスしてもらえるので質問しなくても答えがわかるんですよ。そういう意味でも相性は重要なんじゃないかと思います。

たしかに質問しづらい気持ち、すごくよくわかります。

いやいや、さっきからずーっと質問してますよ？

PART2

まとめ

- まず「見る力」を鍛え
  「理解する時間」をしっかり確保する
- テクニック型速読では
  小見出しもしくは章単位で飛ばして読む
- 「スキャニング」「パラグラフリーディング」
  の2つがテクニック型速読
- リラックスできる環境で
  まずは1日 10 ～ 15 分のトレーニング型速読を
- 始めてから4か月を目安に
  テクニック型速読も取り入れよう
- 1ページ分がパッと頭に入る速読レベルを
  目指さなくてもいい
- 読みたい本を選ぶのが大切
- 「この人のようになりたい」と
  思える先生を選ぼう

PART

3

速読力が
爆発的にアップする
ドリル

LESSON

18

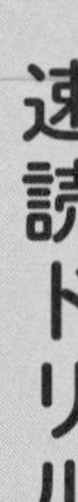

速読ドリルに隠されたすごい秘密

ここで速読トレーニングを始めましょうか。

はい、気合い入れていきます！

頑張ろうという気持ちも持ちつつリラックスするのも忘れないでくださいね。なにより大切なのは**①文字を読むのではなく「見る」こと　②高速で、幅広くたくさんの文字を捉えること**です。プラスアルファで、**③読んだ内容を定着させるための「アウトプット力」**を鍛えるトレーニングもあります。

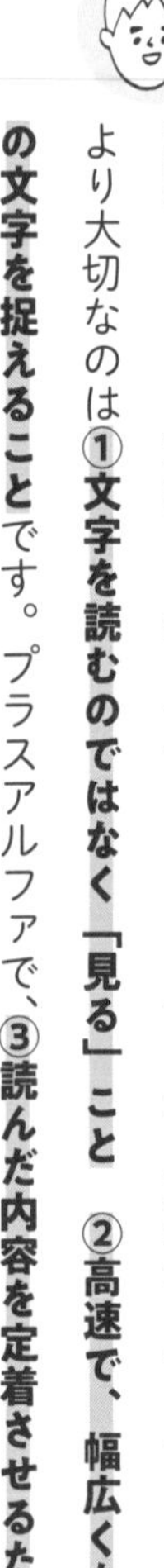

基本的に、これまで教わってきたことですね！

はい、この目的を意識しながら取り組むと、効率よく速読力を伸ばせます。だから今、トレーニングを始めてみてほしいんです。

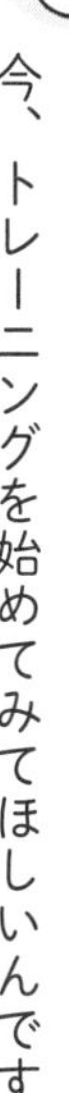

ちなみに、ドリルは2種類あるみたいですが、どうやって取り組むといいですか？
2種類を毎日取り組むのと、1種類完結させてから次のドリルに移るのとどっちがいいんでしょう？

どっちもいいですね。

えー、逆に困ります！

ドリル1もドリル2も①と②の両方を鍛えられるので、どんなやり方でも問題ないんです。ドリル2は③の力も鍛えられるんですが、これはプラスアルファなので。

わかりました。でも、毎日解くにはドリルの数が少なくないですか？

今回紹介するトレーニングは、あくまでも「こういう問題を使うと、力が鍛えられますよ」というものなんです。**大事なのは「こういう問題でトレーニングができるなら、日常生活や、別のパズルゲーム、スポーツのトレーニングでも同じようなことができないかな」と考えていただくことだと思っています。**

えー、このドリルが目的じゃないんですね。

もちろん、最も効率よく速読力を鍛えるために文字の配置や量なども考えたドリルですが、あくまでも一例です。それに答えを覚えちゃったらトレーニングにならないので、「高速で見る力」「幅広く見る力」を身につけてから「アウトプット力」を鍛えるためになにをすればいいのかを掴んで、日常でのトレーニング法も見つけられるといいですね。

自分で考えるなんて難しそう！

文字を見たときに「読む」から「見る」に切り替える意識を持つだけでもいいですよ。ドリルを解きながら「自分に合う方法はどれなのか」を考えてみてください。案外簡単にできるやり方が見つかるかもしれませんから。

何回やっても効果が持続するよっていうドリルはないんですか？

ないこともないんですけど、結構上級のトレーニングですね。だから日常生活で、自然とトレーニングができる場面があるのが理想です。その助けとしてもドリルを使ってほしいなと思いますね。

そういえばこのドリルは「読む」を「見る」に切り替える力、高速で幅広く見る力を身につけるものですが、人によって得意分野・苦手分野ってありますよね？　取り組み方のポイントはありますか？

このドリルは特に意識せずに取り組んでも、得意分野も苦手分野も力を伸ばしていけるんですが、**自主的にトレーニングする場合は、苦手なところはあと回しにしてもかまいません**。例えば、幅広く見るのが苦手なら、高速で見るほうを優先するといった感じですね。一度に捉えられる文字がどうしても増えなければ、どれだけ速く目線を動かせるかに集中する方法も、当然ありだと思います。でも実際は「自分ではできている感じがしない」だけで、ほんとはちゃんと視野幅も広がってるんですけどね。

つい苦手なものを頑張らないといけない気がしちゃうんですけど、得意なものに集中してもいいんですね。

やはり3つの力を総合的に伸ばすのが理想なので、最初のうちは、苦手だなと思うところもやっぱりやったほうがいいと思います。ただ、例えば3か月〜半年やったけど、やっぱり苦手……というのであれば、得意な力を伸ばしたほうがいいという考え方です。

得意なものに取り組むほうがやっぱり楽しいから、それはうれしいです。

「楽しんで取り組める」のが大事なんですよね。「つらいな」とか「やりたくないな」ってなるとトレーニング自体も続かないですし。ストレスがかかると、速読で大事な「リラックス」もできない状態になってしまうんですよ。なので、やってて楽しい方法で取り組むのがいいのかなと。ただ最初から「苦手だ」って考えて、取り組まないのはもったいない。まずはやってみて、それでも苦手だったらやり方を変えてもいいと思います。

速読トレーニング、楽しみになってきました。楽しく取り組めるなら、時間内にやらなきゃとか、正解しなきゃって気負わなくても良さそうですし！

時間はかなり気にしたほうがいいです。

えー、楽しく取り組んでいいって言ってたのに……。

あと、正解するという〝気持ち〟は持っておいたほうがいいです。「間違ってもいいや」という気持ちだと、高速で見ているときに書いてある内容を捉えようとする意識が薄れやすいんですよね。たしかに「わかるわけない」くらい速いスピードのほうがトレーニング効果は高まるので「わかるわけない」と思う気持ちはわかるのですが、なにが書いてあるのか捉えようとする気持ちは大切です。

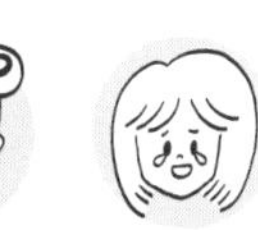

結局、正解しないとダメじゃないですか。

間違ったら、「あー間違っちゃった」で全然問題ないんですが、正解しようとする気持ちだけは持っておいてほしいんです。正解はしようとしなきゃいけない、けど、結果自体は気にしなくてもいい。ちょっと難しいところなんですけどね。

時間については？

少しでも速く解く意識ですね。やっぱり高速を意識することが大事です。速読トレーニングに制限時間が設けられているなら、制限時間よりも早く終わるぐらいの気持ちでやったほうがいいですね。

やっぱりつらそう……。帰りたい……。

まず、1問でいいのでやってみましょう！　最悪間違ってもいいんです。正解しようと頑張るけどダメだったらダメだったでしょうがないって考えると、力がふっと抜けて、いちばんリラックスしやすく、集中しやすくなりますよ。

正解できなくてもしょうがないってことですよね？

はい。**むしろ、それだけ速いスピードで解けたらそれはすごいことです。そのときは「自分、めっちゃすごくね？」って褒めてあげてください。**できなくて普通かなって思うくらいのスピード感で取り組んだほうがトレーニングになると思いますね。

先生が優しいのかスパルタなのかわからなくなってきました……。

できることだけやってても、トレーニングにはならないですからね。

やっぱりスパルタだー！

大切なのは「頑張ってできるようになるぞ」っていう気持ちで、なにを身につけるトレーニングか意識することなんです。

意識ってそんなに大事ですか？

大事ですね。速読の場合は特に意識を置くポイントのズレや誤解がかなり多く、人によってバラバラなんですよ。そういう違いが習得度の差につながります。ドリル問題は、できるだけ〝速く〟、一つでも多く正解を目指す、この2つを意識して取り組んでくださいね

たかが意識、されど意識ですね。なにを鍛えているのか考えながらまずはドリルに取り組んでみます！

ドリルは、できるだけ〝速く〟こなす、一つでも多く正解を目指す、この2点を意識してくださいね。

DRILL 1
再現ドリル

書いてある言葉と、その位置を覚えたら
166ページを開いてください。

1 かかった時間
1回目：　分　秒／2回目：　分　秒

国語

森

川

投資

猫

扉

歌

成功

白米

花

書いてある言葉と、その位置を覚えたら
167ページを開いてください。

2 かかった時間
1回目： 分 秒／2回目： 分 秒

孤独

狐

若手

水分

問題

間食

不老

弓

苦手

氷

書いてある言葉と、その位置を覚えたら
168ページを開いてください。

3 かかった時間
1回目：　分　秒／2回目：　分　秒

かかし

しめじ

ほろよい

ひとで

ひじき

つくね

みやげ

きくらげ

そよかぜ

えんどうまめ

書いてある言葉と、その位置を覚えたら
169ページを開いてください。

4 かかった時間
1回目：　分　秒／2回目：　分　秒

ベルト

コンセント

ピエロ

トランプ

テント

マナー

スーツ

ビニール

リサイクル

ブーケ

書いてある言葉と、その位置を覚えたら
170ページを開いてください。

5 かかった時間
1回目：　分　秒／2回目：　分　秒

ファッション

宮殿

サッカー

カフェ

クロワッサン

革命

芸術

美術館

ワイン

チーズ

書いてある言葉と、その位置を覚えたら
171ページを開いてください。

6 かかった時間
1回目：　分　秒／2回目：　分　秒

パソコン

目

かたつむり

トースト

中古車

オムライス

じゃがいも

みかん

動物園

計算

書いてある言葉と、その位置を覚えたら
172ページを開いてください。

7 かかった時間
1回目：　分　秒／2回目：　分　秒

雪

霊

電

雰

霧

霜

雷

震

露

雲

159ページに書いてあった言葉を
再現してください。

1

160ページに書いてあった言葉を
再現してください。

2

161ページに書いてあった言葉を
再現してください。

3

162ページに書いてあった言葉を
再現してください。

4

163ページに書いてあった言葉を
再現してください。

5

164ページに書いてあった言葉を
再現してください。

6

165ページに書いてあった言葉を
再現してください。

7

DRILL 2

しりとりドリル

すべての言葉を1回ずつ使って、
スタートからゴールまでしりとりになるように
言葉をつなげましょう。

1 かかった時間
1回目： 分 秒／2回目： 分 秒

どらやき
うど
ししゃも
つくし
ごぼう
たらこ
いちご
げんこつ
スタート
ゆげ
かさぶた
ちんげんさい
きく
こうもり
ゴール
りす
もぐら
くしゃみ
すだち
みそ
そばつゆ

すべての言葉を1回ずつ使って、
スタートからゴールまでしりとりになるように
言葉をつなげましょう。

2 かかった時間
1回目：　分　秒／2回目：　分　秒

スピード

ランニング

トラック

ドア

インターネット

ケース

カラオケ

クリスマス

スタジオ

コアラ

スープ

グラス

アメリカ

オートバイ

ゴール
プラスチック

スタート
テスト

トロッコ

すべての言葉を1回ずつ使って、
スタートからゴールまでしりとりになるように
言葉をつなげましょう。

3 かかった時間
1回目： 分 秒／2回目： 分 秒

スタート
電柱

冬

放課後

腕時計

ゴール
奥歯

糸

夕顔

徒歩

山芋

毛布

漁師

娯楽

四季

徹夜

栗

切手

すべての言葉を1回ずつ使って、
スタートからゴールまでしりとりになるように
言葉をつなげましょう。

4

かかった時間
1回目：　分　秒／2回目：　分　秒

スタート
仕事

たぬき

数学

豆腐

ゴール

クワガタ

フラミンゴ

きのこ

留守

こたつ

ゴール
月

すべての言葉を1回ずつ使って、
スタートからゴールまでしりとりになるように
言葉をつなげましょう。

5 かかった時間
1回目：　分　秒／2回目：　分　秒

肉

ガチョウ

クジラ

ワニ

ゲーム

麦畑

占い

しょうが

ランチ

岩

血液型

スタート
料理

力士

からあげ

ゴール
たい焼き

地下

すべての言葉を1回ずつ使って、
スタートからゴールまでしりとりになるように
言葉をつなげましょう。

6 かかった時間
1回目：　分　秒／2回目：　分　秒

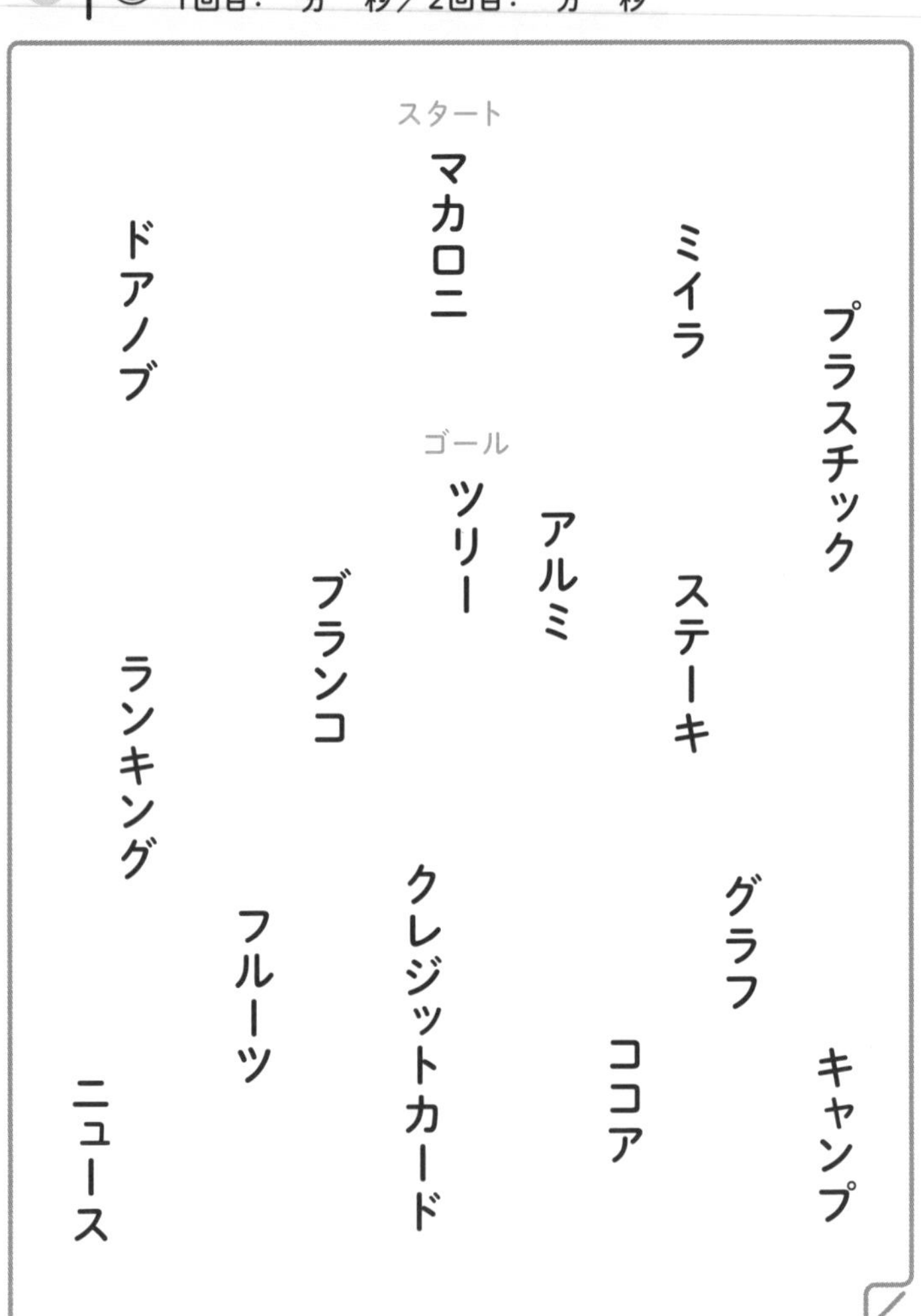

すべての言葉を1回ずつ使って、
スタートからゴールまでしりとりになるように
言葉をつなげましょう。

7 かかった時間
1回目：　分　秒／2回目：　分　秒

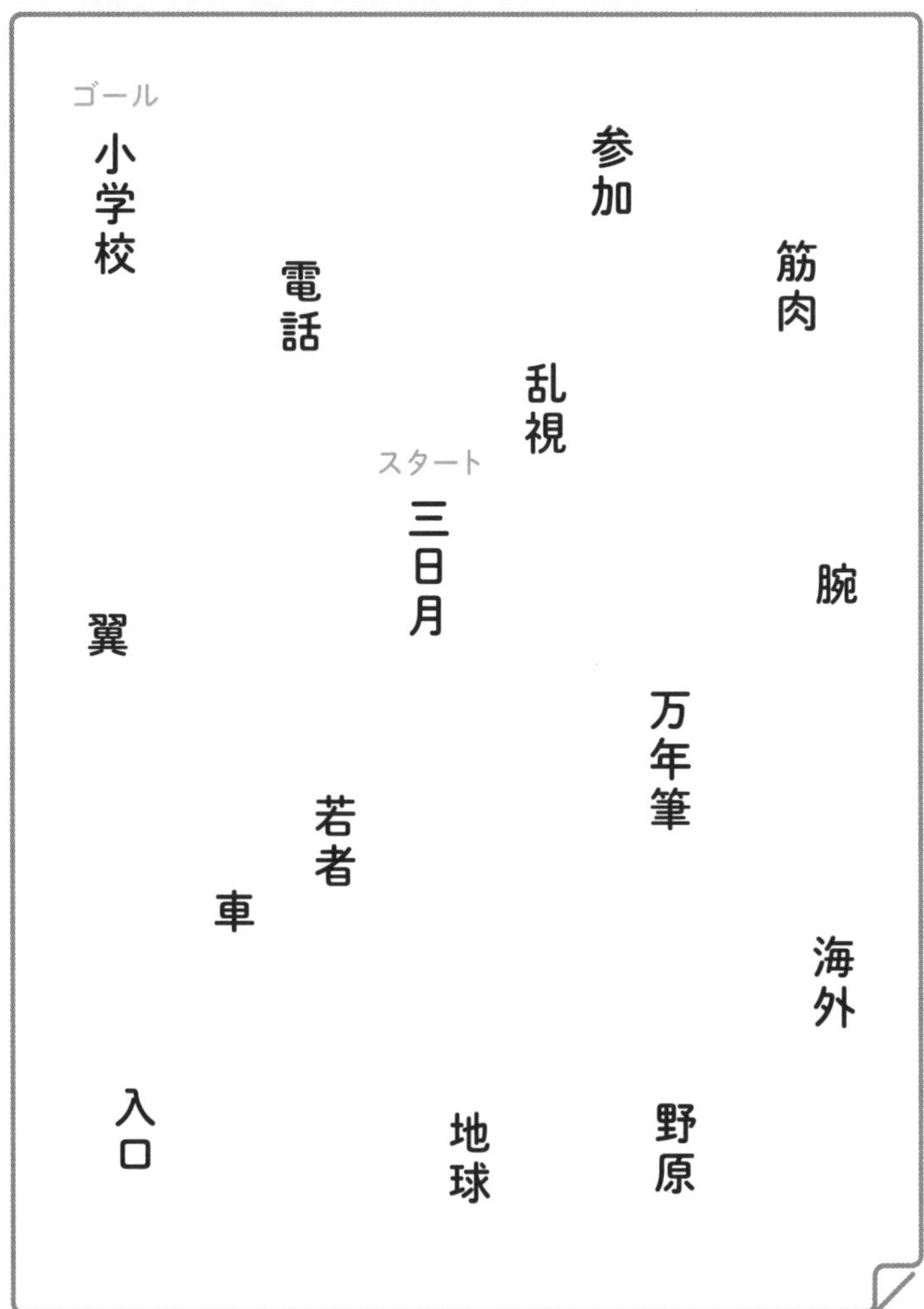

1

国語

森

川

投資

猫

扉

歌

成功

白米

花

2

孤独

若手

狐

水分

問題

間食

不老

弓

苦手

氷

3

かかし

しめじ

ほろよい

ひとで

ひじき

つくね

みやげ

きくらげ

そよかぜ

えんどうまめ

4

ベルト

コンセント

ピエロ

トランプ

テント

マナー

スーツ

ビニール

リサイクル

ブーケ

5

ファッション
サッカー
革命
カフェ
美術館
チーズ
宮殿
クロワッサン
芸術
ワイン

6

パソコン

目

かたつむり

トースト

中古車

オムライス

じゃがいも

みかん

動物園

計算

7

雪

霊

電

雰

霧

霜

震

雷

露

雲

DRILL 2
しりとりドリル
答え

1

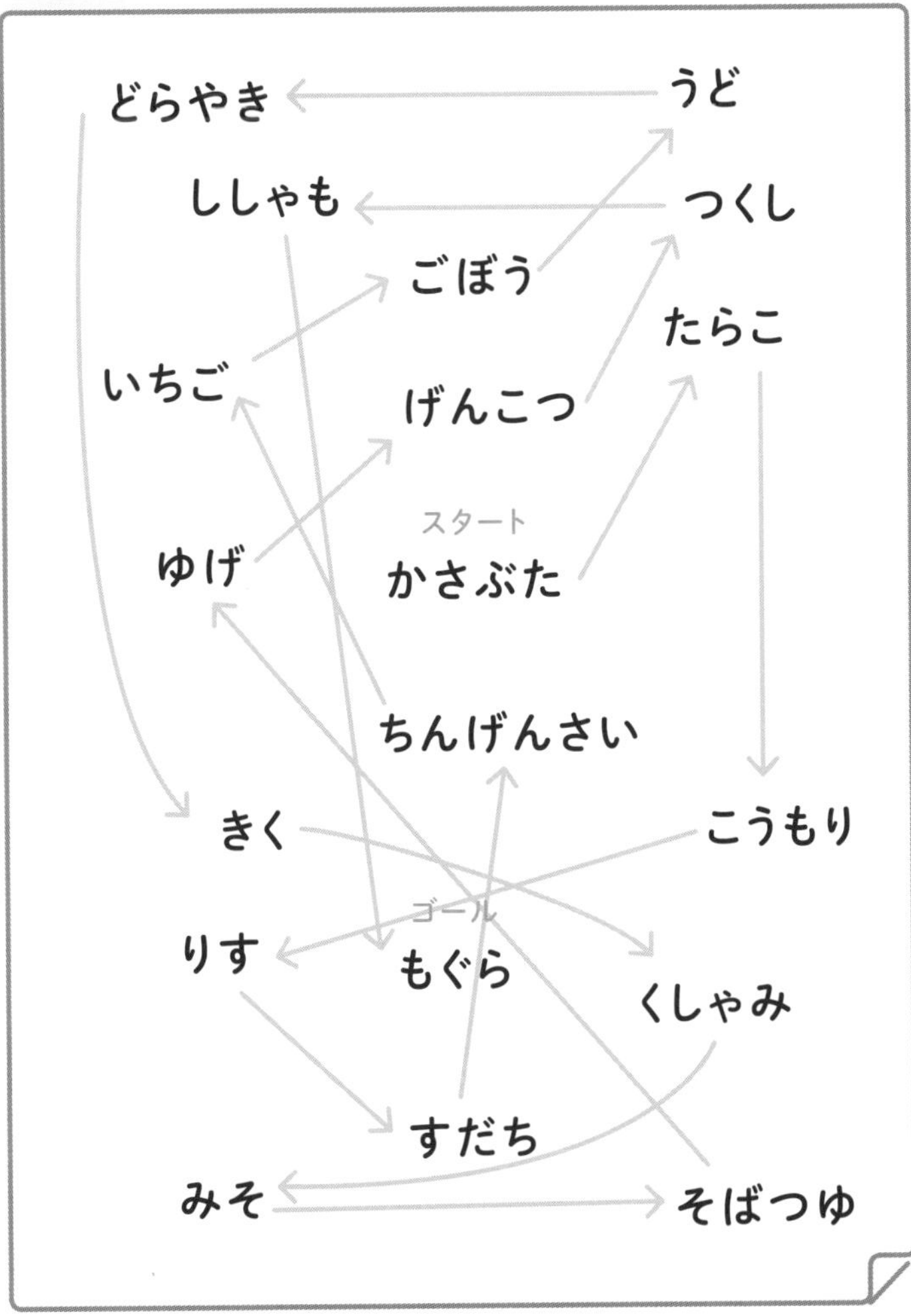

2

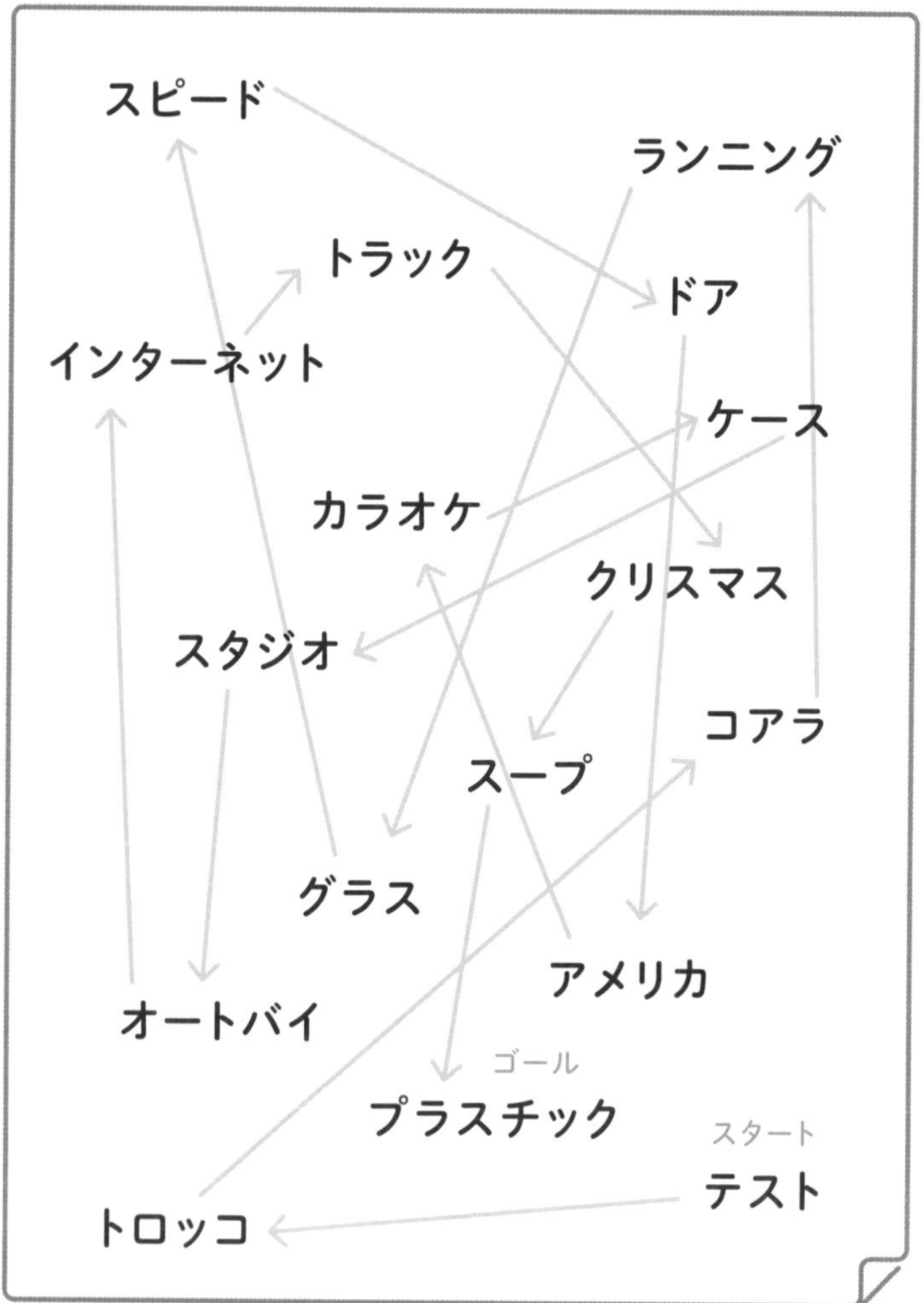
スピード
ランニング
トラック
ドア
インターネット
ケース
カラオケ
クリスマス
スタジオ
コアラ
スープ
グラス
アメリカ
オートバイ
ゴール
プラスチック
スタート
テスト
トロッコ

3

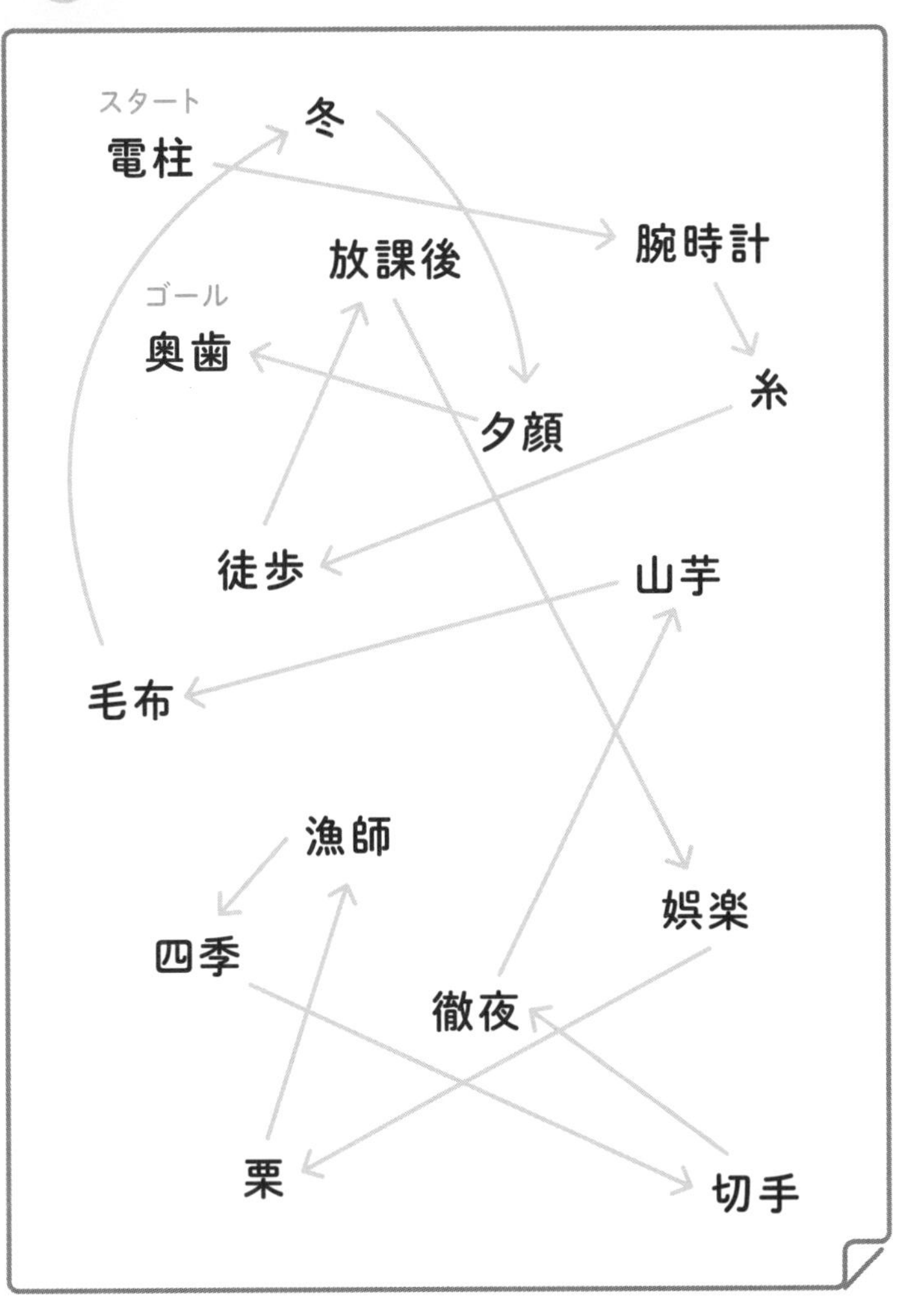

4

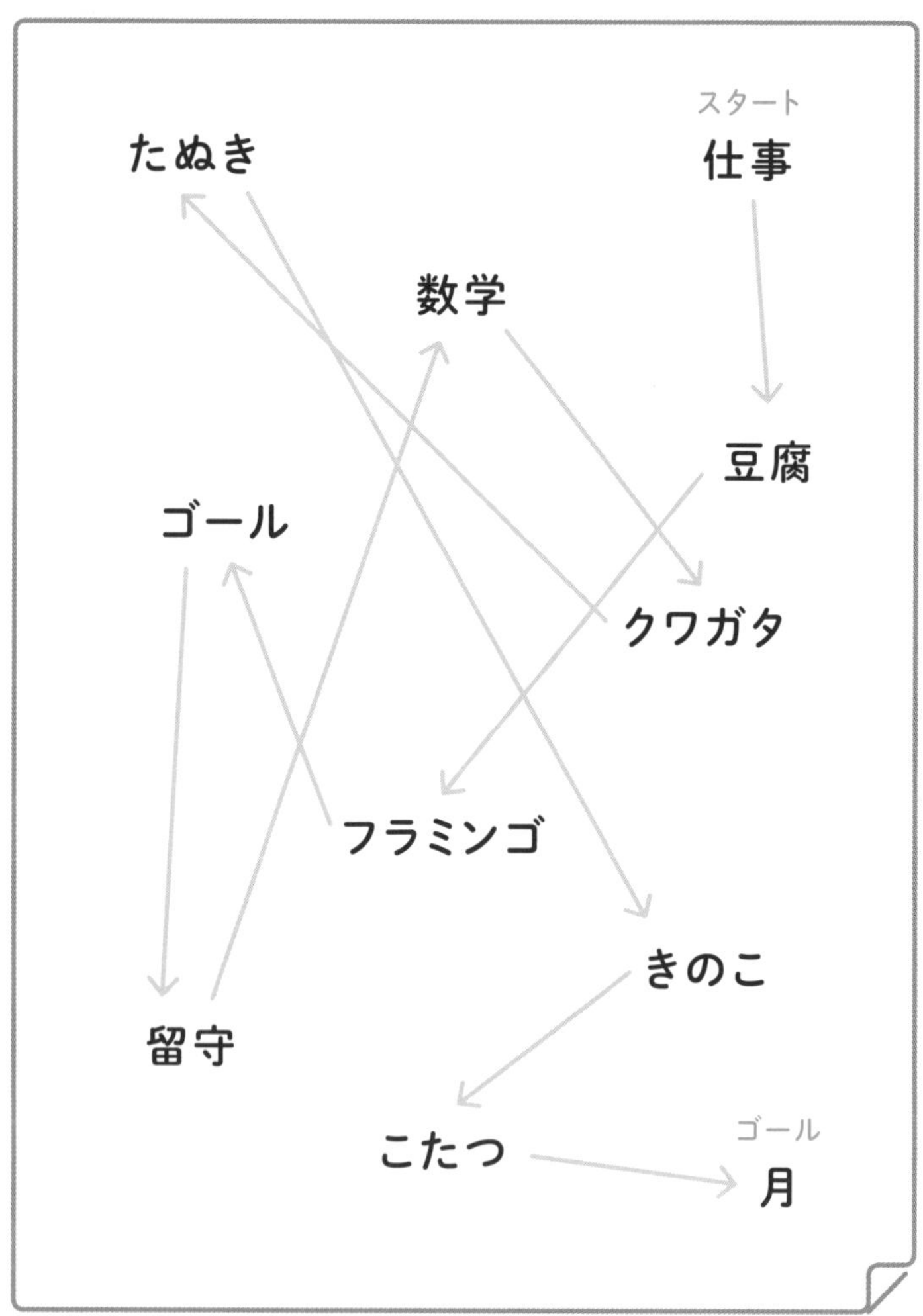

5

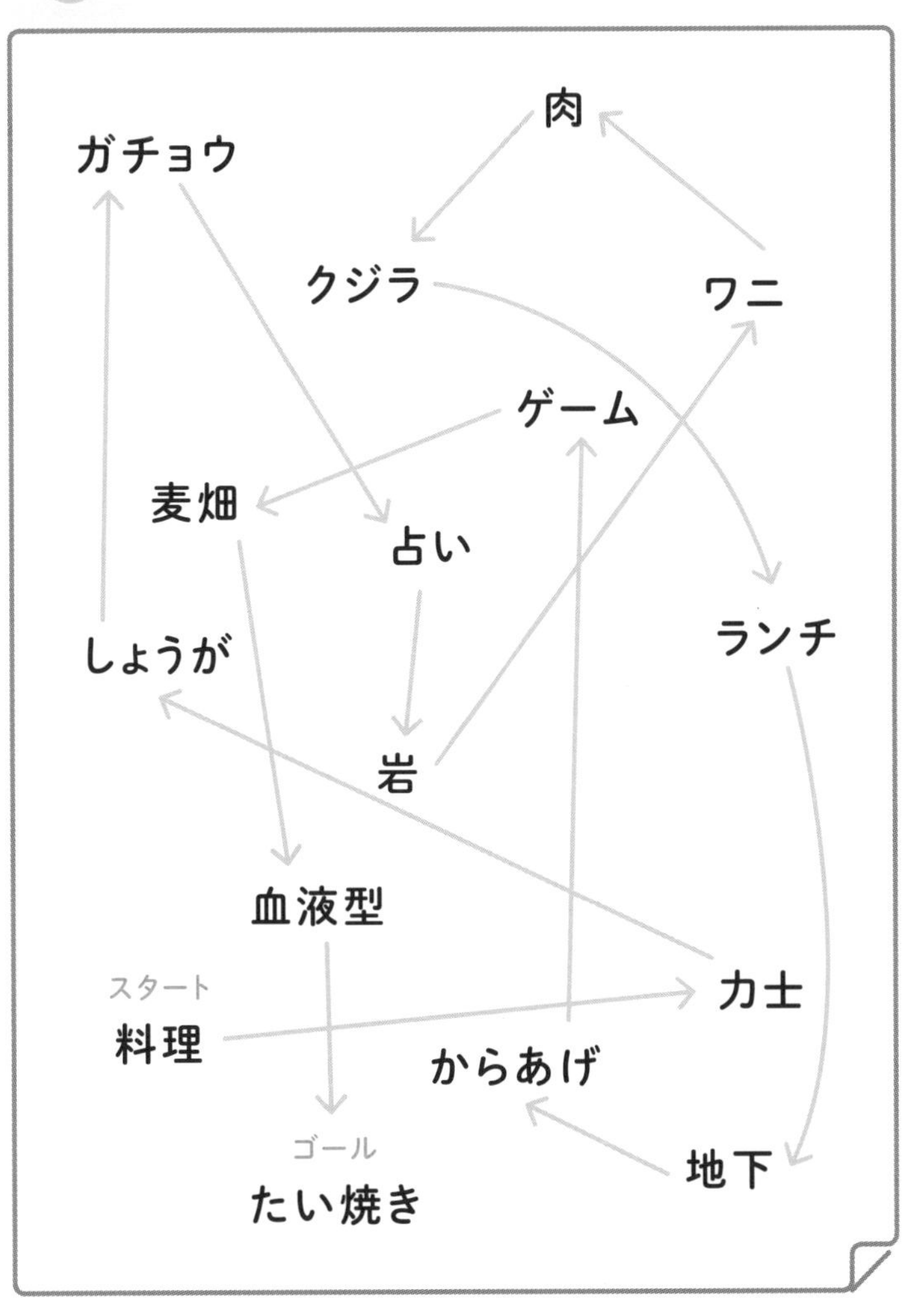

6

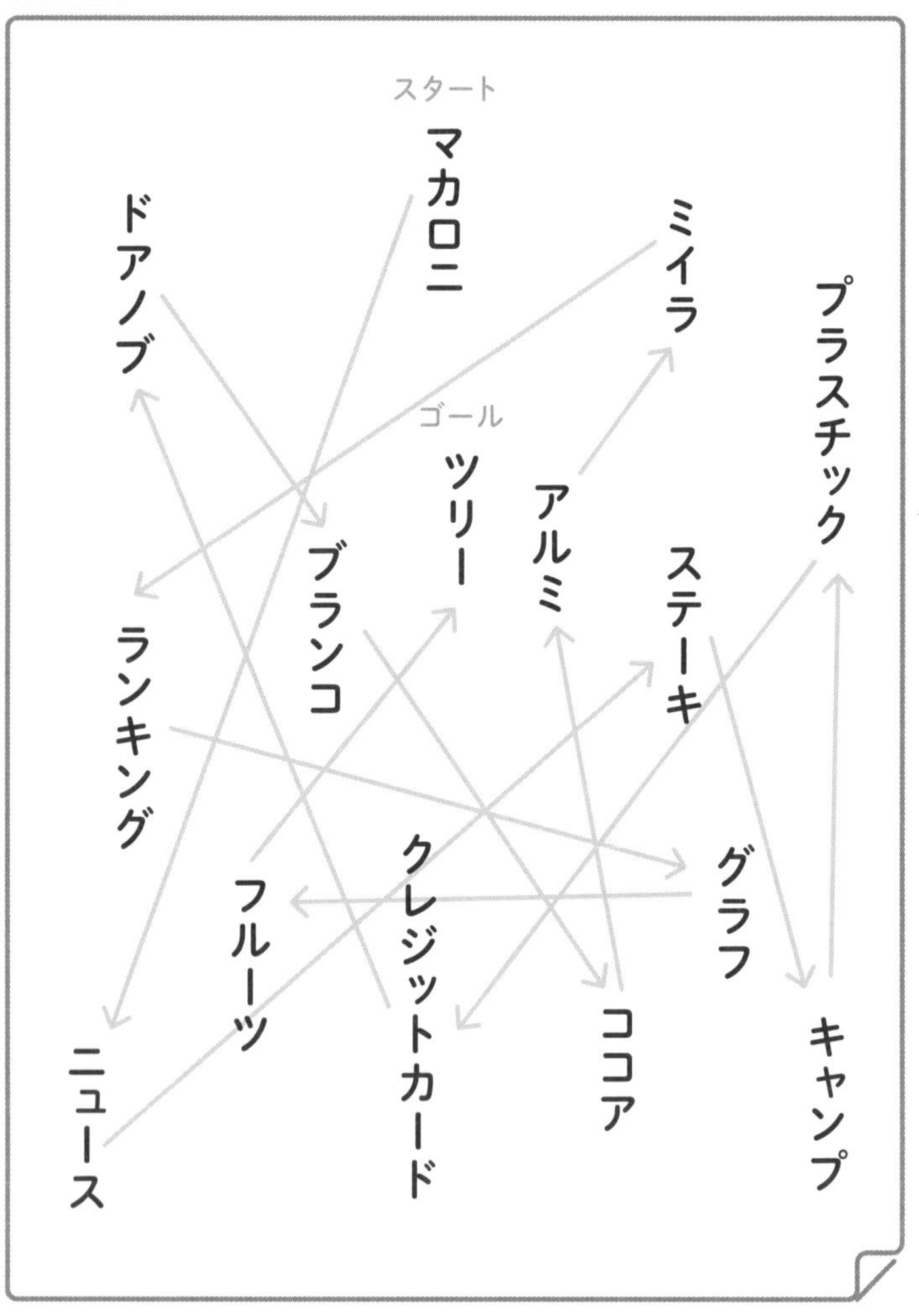
スタート
マカロニ
ドアノブ
ミイラ
プラスチック
ゴール
ツリー
アルミ
ブランコ
ステーキ
ランキング
クレジットカード
グラフ
フルーツ
ココア
キャンプ
ニュース

7

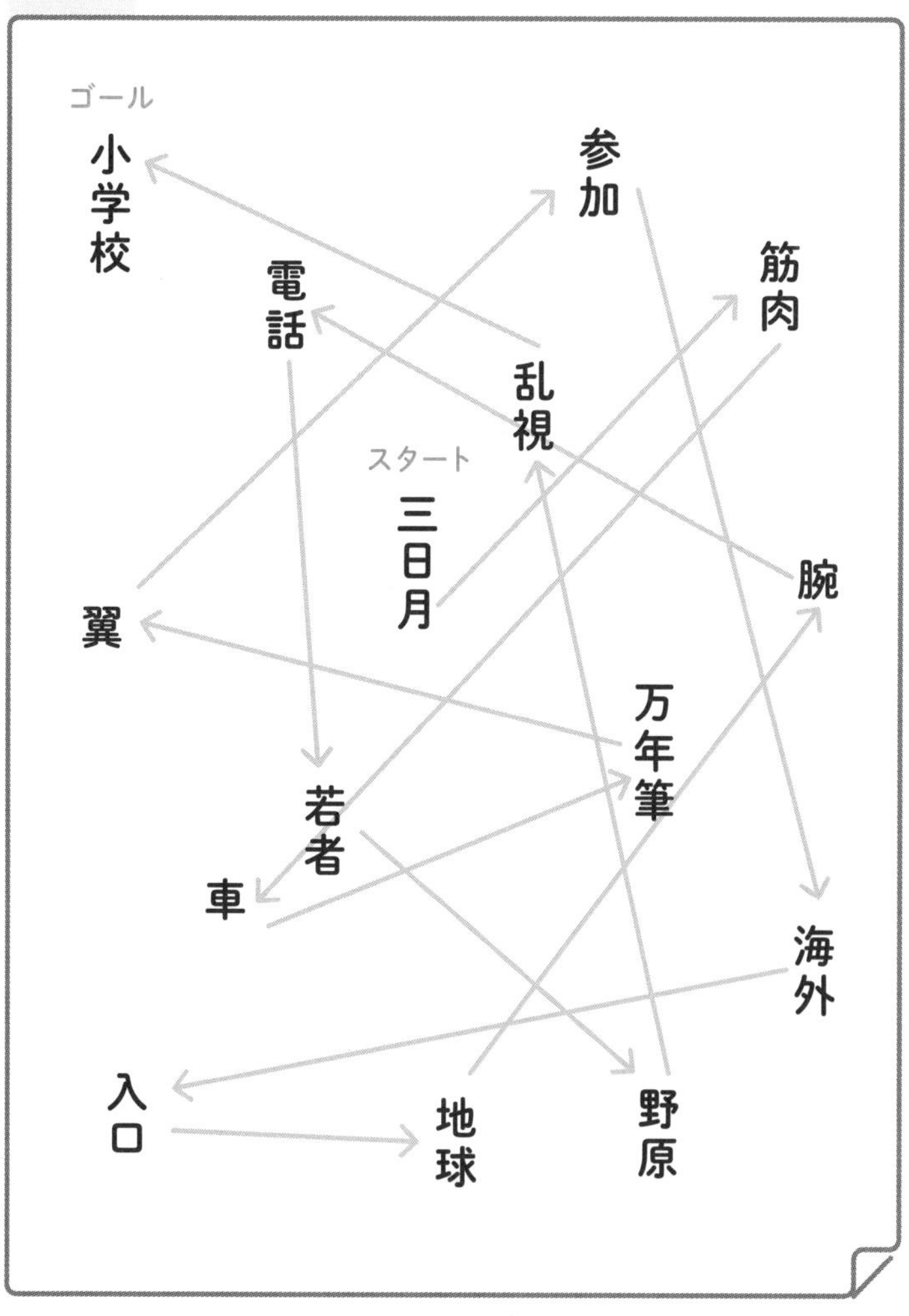

LESSON

19

どこでもできる！ながら速読トレーニング

日常でできるトレーニングを考えましょうという話でしたが、いいトレーニング法が浮かびません！

浮かばないというより、考えるのがめんどくさかったんじゃないですか？

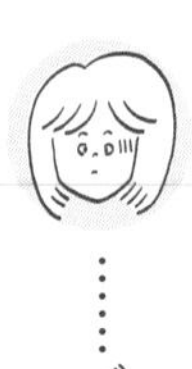

……バレてる!!

まぁ気持ちはわかります。僕自身がよくやってたトレーニングをいくつか紹介しましょう。まず「目を動かす」トレーニング。**例えば、移動中や待ち時間に壁などを見ながら目線を「上、下、上、下」「右、左、右、左」って動かすのをちょこちょこやってました。**

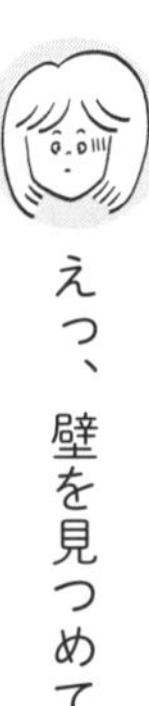

えっ、壁を見つめて不審がられないですか？

縦の動き3秒、横の動き3秒程度ですから大丈夫でしたよ。目と脳は直接つながってると言われていますし、目を動かすことで頭も活性化すると速読の先生もよくおっしゃっていました。先生は目を動かすトレーニング重視で指導されていたので、こういった目のトレーニングはよくやってましたね。

そのレベルでいいんですね。

そうです。生活の中でのトレーニングはスキマ時間にちょこちょこやることになるので、「きっちりやらなきゃダメだ」とあまり自分を縛らないほうがいいですね。

ほかにはどんなトレーニングがありますか？

ものを見るときになるべく視野幅を広げる意識を持つことですね。例えば風景を見るときに幅広く見ようという意識を持つんです。体は前を向いているんだけど、横で誰がなにしてるのかなってなんとなく見続けるって言ったらいいでしょうか。

会社でパソコンを使うときに、これまで画面だけ見ていた状態から、横や斜め前にいる人の動きも視界に入るように意識するってことですか？

そうそう、そんな感じです。似たようなことで、パソコンのモニターを横幅のあるものにして、両端をちゃんと目で捉えるってことを僕もやっています。例えばおもにゲーム目的で使われることが多い曲面モニターにすると、視野１８０度に近い感覚で見やすくなるんです。その状態で作業をすると、幅広く見る意識が持ちやすくなって、自然と視野幅が広がってくるのかなと。

スマホの小さい画面で見ることが多いので、私の視野幅は狭いかもしれません。

それはあるかもしれませんね。**スマホをずっと見たあとで、視野幅を広げようとすると最初はかなり目がつらいと思います。**僕自身、移動中にスマホで物を書いていることも結構ありますが、そのあとに視野幅を広げようと周辺を見ると、ちょっと目が疲れます。

気をつけます。ほかにはいいトレーニングありますか？

高速道路で流れていく看板などを見るっていうのも、トレーニングにはなると思いますよ。ゲーム感覚でやるとおもしろいかもしれないですね。あ、もちろん運転中はダメですよ。運転に集中してください！　大事なのは「トレーニングできるポイ

ントはないかな」と探す意識を、日常生活の中で持てるかどうかなんですよ。速いスピードで動いてるものを、パッと一瞬で捉える意識が持てると、高速でものを見ることに慣れやすくなります。

ゲーム感覚でやるのは楽しそう！

はい、まずは文字にこだわらないでトレーニングをするといいと思います。スキマ時間を使っていけば、おそらく10分以上のトレーニングになりますよ。

文字を見なくていいのもうれしい！

ただ繰り返しになりますが、動体視力の高いスポーツ選手が速読ができるかというと、そんなことはありません。なぜなら、文字の「読む」と「見る」の切り替えができないから。つまり「読む」と「見る」を切り替えるトレーニングは必要で、そ

れには文章や言葉を見る必要があります。そこはちょっと気をつけてくださいね。

わかりました！

文字を見るトレーニングを試さなかったために「よくわかんない」って終わっちゃう方が結構いらっしゃるのでね。

角田さんは国語嫌いですよね？　文字を見るトレーニングをするの、つらくなかったんですか？

「読む」と「見る」を切り替える練習ばかりだとつらいですね〜。**活字嫌いの方は、文字を使わないトレーニングから入っていったほうがいいでしょう**。やり方さえわかれば「案外自分できるじゃん」と気づいて楽しくなってくるはずです。

PART3

まとめ

- 「文字を見る」「高速で幅広く文字を捉える」を意識しよう
- ドリルは毎日2種類でも、1種類ずつでもOK
- 日常生活を速読トレーニングにしよう
- どうしても苦手な分野があるなら得意分野の力を伸ばせばいい
- 「できるだけ速く正解しよう」という気持ちを忘れずにドリルを実践しよう
- 普段から視野幅を広げる意識を持つだけで速読トレーニングになる
- 活字嫌いの方は文字を使わないトレーニングから始めよう

PART

4

どんな本でも スラスラ読める 速読活用術

LESSON

20 最適な速読法を見分けるコツ

テクニック型速読は使える場面が限られるというお話でしたが、使わないほうがいい場面でテクニック型速読を使ってしまいそうです……。どんな本に使わないほうがいいか、あとトレーニング型速読を使わないほうがいい本もあれば、それも教えてもらえませんか？

はい、そうですね。まずトレーニング型は全般的に使えます。

万能ですね！

ただ、読むスピードが一瞬で劇的に変わるものではないので、効果を体感しにくいんです。

効果を実感できないと「この本速読に向いてない」って勘違いしませんか？

それはあるかもしれませんね。よくあるのは「参考書を速読しにくい」ときで、速読してるから読みにくいわけではなく原因は語彙力（ごいりょく）不足にあり、普通に読んでも結局読みにくいケースです。普通に読める文章なら、トレーニング型速読に向いていない本はあまりないと思います。

なるほど、トレーニング型速読は本を選ばない、と。

一方テクニック型速読は、自分が知りたい内容や結論を探す読み方なので、ビジネス書や論文を読むのに向いています。逆に、小説や専門書はテクニック型速読にはおそらく合わないでしょう。

専門書もですか、意外でした！

専門書は本にもよります。課題解決のヒントを得るために読むのであれば、テクニック型速読も活用できるとは思います。あまり勝手を知らない分野、つまり学び始めてまだ日が浅い分野の本だと、そもそもテクニックを使うことができません。

そういう場合は、どうすればいいんですか？

トレーニング型速読で対応せざるを得なくなります。ビジネス書も、自分のレベルに応じて、テクニック型速読が使える場合と使えない場合があるので、そういう意味でテクニック型の速読が向いているかどうかは、自分次第とも言えるかもしれないですね。

本のジャンルより、自分の知識次第なんですね。

極論を言ってしまえば、テクニック型速読は関心のあるところだけを抽出する読み方なので、自分が理解できるレベル以上のことは内容を拾えないんですよね。

勝手を知らない分野だと、どこが重要かさえわからないですもんね。

まさにそこがデメリットで「じつは重要な箇所は別のところでした」というときに気づけないんですよ。

じゃあなんの目的で本を読むのかによっても、テクニック型速読の向き不向きが決まりますね。

そうですね。新しい気づきやひらめき、学びがなくなっちゃうと思うので、気づきを得たいときは、テクニック型速読は向かないでしょう。

本じゃないんですが、ネット記事はどうですか？

ニュース記事など、起承転結を意識しながら書かれているものはテクニック型速読も使えるんですが、会話を抜粋したものや対談記事などは、テクニック型速読が向かない典型例じゃないでしょうか。話をしているときって話題がランダムに変わりますよね？　そうすると、どこになんの結論が書かれているか規則性がないので、テクニック型速読を使いにくいんです。

じゃあ、この本はテクニック型速読には向きませんね（笑）。

ええ。でもトレーニング型速読には向いています。

そういえば聞きたいことがあるんです。文章構造がしっかりしている本は、テクニック型速読を使いやすいってお話でしたが、私、文章構造を掴むのが苦手なんです……。「この本は文章構成がはっきりしていそうだな」って判断できるポイントはありませんか？

小見出し1個分の文章を見ればわかると思います。

それは最初の小見出しを見たらいいですか？

目次を見て、ここだったら理解できそうという項目があれば、その小見出しを見るとよいと思います。小見出し内の構成そのものは一冊の本の中でそんなに変わらな

いんですよ。海外の翻訳本だと特にわかりやすいんですけど、結論が先に書かれていて、8割は具体例が書かれているって流れのものが多いですよね。

多いですね〜。で、最後1割は結論で締めるイメージです。

まさにそうですね。どのトピックでも、その構成って基本そんなには変わりません。「この内容はわかりやすそうだな」っていうトピックの文章を見ていただくと、その本の文章の書き方はなんとなくわかります。翻訳書でなくても著者や編集者のクセがあって、1か所見れば、その本のクセは掴めると思います。

なんだか難しそうですね。

思うほど難しくないですよ。例えば3ページで起承転結が書いてあり、最後に図版1枚載せて説明をまとめるとか、つくり手の型が必ずあるんです。ただ、全部読ま

なくても構成はある程度掴めます。

せっかく本を買ったのに、1項目見ただけで「この本合わないや」ってケースが出てきたら、もったいないんじゃないですか？

たしかにもったいないので、まずは立ち読みで試すのはいかがでしょうか。あ、あくまでもテクニック型速読をやるうえでの話ですが。**トレーニング型速読で読むなら、別に構成は気にせず普通に読んで大丈夫ですよ。**

LESSON

21 小説・エッセイの速読のしかた

トレーニング型速読はどんな本にも使えるのと、テクニック型とトレーニング型どちらを使うといいかは目的によるっていうことはわかりました。

おー、完璧です。

でも、できるだけ効率よく読みたいんです。本ごとにどうやって読んだらいいか教えてもらえませんか？　例えばトレーニング型速読で小説を読むときは、まず目次を読むとか、なんでもいいんです！

わかりました。そんなに必死ならなんとかしましょう。小説を読むならばトレーニング型速読がベストで、基本的にはなぞり読みの延長です。「高速で見る」トレー

ニングをするのが最善策で、頭の回転を良くして速いスピードでなぞり読みできるようにするのがいいかと。

一度に見る文字の量を最大まで増やすというのはどうですか？

大体10文字単位で「見る」のであれば問題ないんですが、行単位で「見る」と、時間軸を楽しむ感覚が薄れてくるので、小説を楽しめなくなるんですよね。内容が把握できるだけでいいなら話は別ですが。

小説そのものを楽しむにはスピードに限界があるんですね。

時間の流れや間がわからないくらい高速で小説を見てしまうのは、モザイクかけながら映画を観(み)てる感じでしょうか。

それは消化不良になりそう。

話の流れはなんとなくわかるけど、はっきりと情景が見えないので、感情移入できないまま終わってしまう感覚ですね。だからある程度情景は見えたほうがいいと思うので、その限界スピードを探っておくといいんじゃないでしょうか。

角田さんが教えてきた方の限界だとどれくらいですか？

68ページでなぞり読みの限界は3000文字／分くらい、つまり平均読書速度の3〜6倍速って話をしましたけど、受講生の方や読者さんなどを見ていると、速い方だとそれ以上のスピードでも問題なく読めるって方もいます。

その方が角田さん並みにずば抜けてるんじゃないですか？

いえ、そういう方は珍しくないですよ。慣れるとイメージ力が高まるので、限界スピードを越えても楽しみながら小説を読めるのかもしれません。

速く読みたいけど、内容が頭に入らないのは嫌だっていう方はいませんか？

こちらも繰り返しになるのですが、**ゆっくり読んでも100%把握できていることってまずないんです**。順番に追っていくと、最初のほうでなにをしていたか、おもだった場面以外は案外抜けてたりするんですよね。

あります。「この登場人物誰だっけ……？」ってよく戻ります。

だから、ゆっくり読んだから内容が入るってわけでもないんです。あとはどのくらい芸術要素や雰囲気を楽しみたいかで読むスピードを決めるのがポイントです。

どれだけ楽しみたいかで読む速度をコントロールするってかっこいいですね。

そうですね。特に小説・エッセイに関しては柔軟に速読するといいんじゃないでしょうか。まぁまず蓮見さんはトレーニング型速読の習得を頑張りましょう。速度コントロールはそのあとです。

LESSON

22 ビジネス書・新書の速読のしかた

ビジネス書も、具体的な速読法を教えていただけませんか？

ビジネス書って課題を解決するために読むことが多いと思います。例えば対人関係やコミュニケーションの取り方で悩んでいるとか、**解決したい課題がはっきりしているのであれば、その目的に合う箇所だけに対してテクニック型速読を活用して読んでいけばいいと思います。**

トレーニング型速読で読むのはどんなときですか？

例えば、考え方を変えて大きな変化を起こしたいとか、気づきやひらめきなどを得たいと思ってビジネス書や新書を読むなら、トレーニング型速読で読み飛ばさずに読んでいったほうがいいでしょう。

テクニック型に比べたら、かなり時間がかかりませんか？

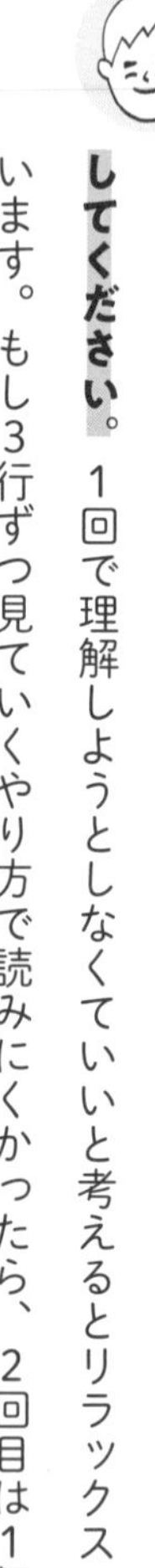

内容は3割くらい把握できれば全然いいので、まずはとにかく読み切ることを優先してください。1回で理解しようとしなくていいと考えるとリラックスできると思います。もし3行ずつ見ていくやり方で読みにくかったら、2回目は1行や2行で見ても大丈夫。極端に言えば10文字単位でもよく、ここまで視野幅を狭めれば普通読みとほとんど変わらないので、少なくとも「できない」とはならないはずです。

つまり速く読めればなんでもありってことですね！　斬新！

斬新さで言うと読む順番もコツがありますよ。本って1章から順番に読むと思うんですけど、別に1章から順番に読まなくてもいいんです。

本の構成、思いっきり無視しちゃうんですか!?

はい、例えば目次を見て、3章に興味のあることが書いてあるなと思ったら、別にそこから読んでも問題ないんです。

問題大ありな気がするんですけど……。

速読で読むときって、全体から徐々に詳細を理解するって話をしましたが、本によっては、結論を先に把握したうえで後ろから順番に読んでいってもいいんです。もちろんその読み方が通用しない本もありますが。

前から順番に読んでいかなきゃいけないとか、順番に読んでいかないと内容が捉えられないっていうのは固定観念なんですね。

個々の木を把握する普通読みに対して、全体像を先に把握する速読なら、バラバラの順番で読んでもいい場合があると知っておいたほうがいいです。これなら、**1日目は3章を、翌日は2章を、翌々日は5章を……という読み方もできます。**

読む順番は興味のありなしで決めちゃっていいんですか？

そうですね。やっぱり関心のあるところから読むといいと思います。で、つまらなかったら読む気はあまり起きなくなると思うので、そしたら違う本を読めばいいんです。

角田さんって本を読むのも、本に見切りをつけるのも速いですね！

世間的には外れだと言われていても、自分にとっては当たりの本って必ずあるんです。でも、この世に存在する本の数を考えたら、一生かけても読み切れないじゃないですか。そう考えたら、さっさと次の本にいって全然いいと思うんですよ。つまらなくてもちゃんと読みたい本ならば、もう1回読み直せばいいんです。

それにしてもビジネス書って、こんなに自由に読んでいいんですね。

ビジネス書自体が、そういう読み方をできるつくりになっている気がします。順に説明して結論を最後にまとめる本も当然ありますが、そうじゃなくて、結論から先に説明して、詳細をあとにまとめる流れも結構多いと思います。その辺を掴むのに慣れる意味でも、いろいろな本に目を通していくことはやっぱり大事ですね。

内容はわからなくても、とりあえず1冊読み切ろうとおっしゃる理由は、その辺にもあるんですね。

はい、自分の考えは置いといて、まずは全部に目を通せと。

角田さん、口が悪くなってます。

すみません、つい。理解度の差はあれど、1冊を読み切ると、少なからず達成感が生まれるんですよね。その達成感があると、もうちょっとくわしく読みたい項目が明確になったり、読み直すときの精神的な負担が減ったりします。

たしかに本を読み切るとうれしくて、もっと読みたいって思うんですけど、ちゃんと読まなきゃと思うと、どんどんあと回しにしちゃいます……。

そうなんですよね。**まずは読み切って達成感を味わうのを優先すればいいんじゃないかと思います**。本当に気になる本であれば、絶対もう1回読み返そうとしますから。

LESSON

23 参考書の速読のしかた

トレーニング型速読とテクニック型速読の使い分けがなんとなく見えてきました！
参考書はトレーニング型がいいんじゃないですか？

参考書は、両方あると思ってるんですよ。**初めて勉強する分野であれば、知らない言葉がたくさん出てくるのでトレーニング型速読ですね。**特に、言葉をある程度知るまではなぞり読みスピードをあげるしかありません。

外れですね……。悔しい……。

でもいい調子ですよ！　初めて学ぶ分野は、まず語彙力を高めるために個々の木を見ていかざるを得ないんです。なので、トレーニング型速読でひとつひとつを詳細

に見る必要があります。

なぞり読みはいつ使うんですか？

入門書は多分、なぞり読みしかできないんですよね～。言葉を見たときに意味のイメージが反射的に思い浮かばないはずなので。

なぞり読みもトレーニング型速読も、初めて学ぶ分野で使うんですよね？　いつどっちを使うかの違いが、まだよくわからないんですが……？

例えば自分が扱う業務内容だけど関連本はあまり読んだことがない状況だと、経験値があるので本をパッと見たときに内容のイメージが浮かぶんですよ。それだったら、トレーニング型速読で「読む」を「見る」に切り替えて読むほうがいい。ですがそうではない場合は、まず語彙力を高める必要があります。だから語彙力が一定

レベルになるまでは、なぞり読みでできるだけ速く読むしかないのかなと。

なるほど。ある程度語彙力が高まるまでは、トレーニング型速読も使えないんですね。じゃあテクニック型速読はいつ使えばいいんでしょうか？

書かれている言葉が9割以上わかる感じならテクニック型速読を使います。試験対策の参考書だとすると、過去に出題された問題とかよく問われる分野を拾って集中的に何度も読む方法です。「ここを読めばいい」というポイントが掴めるので速く読めますね。

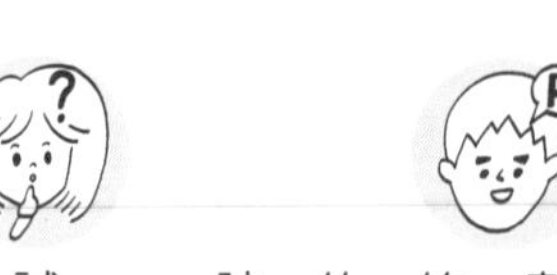

試験対策のときはテクニック型速読？

試験の場合は、問われる分野に多かれ少なかれ特徴があるので、その分野に絞った勉強をしたほうが効率的です。そういうときにテクニック型の速読を活用するとい

いですね。

つまり試験に受かりさえすればなんでもいいってとき……？

そうですね。テストだけって考えたら、「分野を絞って勉強する」「満点ではなく合格点を確実に」っていう考え方もなくはないかなと。

7割取れれば受かる試験はたくさんありますもんね。

もちろん捨てる箇所をつくるぶん精神的な不安はありますが、最初からきっちり「ここだけは取る！」って決めて、合格点をキープする戦略は全然ありだと思います。

だいぶわかってきました。ありがとうございます！　あ、そういえば高校生のときに、「世界史の教科書は何回も読みなさい。それが入試で得点する近道だ」って言

われたんですけど、トレーニング型速読、もしくはなぞり読みをひたすら繰り返しなさいってことですよね？　暗記にも速読は使えるんですか？

「繰り返し読みなさい」だけだと、ちょっと不親切かな……って気はしますね。

どういうことですか？　くわしく教えてください！

世界史や日本史には時代の流れがあるんですよ。なにもないところから単発的に事件が起こるわけではなく、誰かがなにかをやったから次の事件が起きるわけです。そのつながりも含めてイメージがつくれていれば、繰り返し読むのはいいと思います。ただ「繰り返し読みなさい」だけだったら、「文章をそのまま覚えろ」と誤解されるおそれもあると思うんですよね。

そういうことだと思ってました。違うんですか？

多分、違うはずですよ。実際、教科書の文章一字一句がそのまま載ったテスト問題って、まず見ないですよね……？　歴史の先生ではないのであまり突っこんだ話はできませんが、世界史や日本史で知っておくべきことって、出来事と出来事の因果関係とか背景、当事者の心理状況だと思うんですね。**そういった関係性をわかったうえで教科書を繰り返し読めば、すごく速く読めるし記憶定着も長期的なものになると思います。**つながりを図解で表現できるとより効果的ですね。

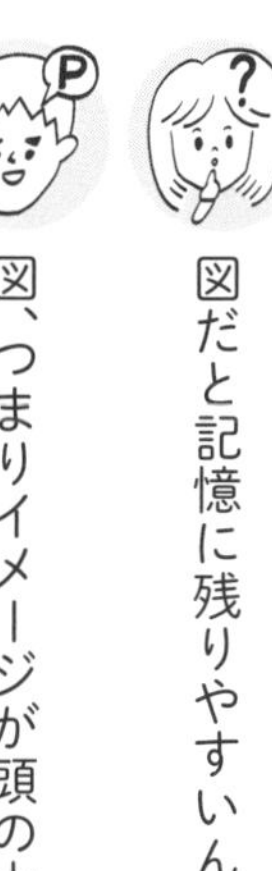

図だと記憶に残りやすいんですか？

図、つまりイメージが頭の中に置かれた状態だと、「見て」理解しやすくなるんです。

それ、高校のときに知りたかった〜。だから私は成績悪かったんだ〜。

ただ文字を暗記するだけじゃつまらないですよね。僕も日本史を暗記という意識でやるとキツかったですし、やっぱり時間が経つと忘れてしまいました。

そうなんです、キツかったのになにも覚えてない!!

だからマンガの歴史本はいい参考書になりますよ。あらかじめある程度の歴史イメージをつくってから、教科書でよりくわしく文章を読んでいくと、理解も深めやすくなると思うんですよね。

速読って勉強にもこんなに活かせるんですね〜。

やりたいこととか楽しめることに活かしていかないと、なんの意味もないですから。みなさん別に、速く読むパフォーマンスがやりたいわけじゃないと思うので。

注目集められそうですよ？

一瞬目立って、多分すぐ飽きられちゃうと思うし、そもそもみんな芸人になりたいわけじゃないですよね？　それよりも自分なりに活かせる方法を見つけてほしいと思っています。超人レベルの速読を想像して「自分にはできない」って諦めるのはもったいないので、自分にベストな速読法を見つけてほしいですね。

LESSON

24 健康書・スポーツ本の速読のしかた

健康書とかレシピ本とか、実用書っていろいろな種類と目的がありますよね？　例えば、家族が病気になっちゃって本をたくさん読んで知識を得たいとか。ランニング始めたいからいくつか読んで合う方法を知りたいっていうケースもあるし、レシピ本でつくりたいメニューのページだけ読むケースもあります。

そうですね、例えば家族のために糖尿病について知りたい場合、多分今まで勉強していなかった分野を新しく学ぶということだと思うので、最初はトレーニング型速読で理解していく流れになるでしょう。基本的な知識のある方なら、耳慣れない言葉や内容の項目を繰り返し読みながら知識を深めていくといいと思います。

新しい知識を得るために読む場合は、健康書もスポーツの本も同じ読み方でいいですか？

ランニングやエクササイズなどの実用書なら、おもしろそうだなって思ったところだけ見ていけばいいいので、スキャニングを使います。

興味あること以外、読まなくていいんですか？

例えば、エクササイズとかストレッチのやり方って、文章ではなく写真やイラストメインで注意点や意識を置くポイントが書かれているんですよね。人ってどうしても文字より画像のほうに意識が向きやすくなるので、絵を基準に自分が興味あるところを探して、そこから見ていけばいいんじゃないかなと思います。ただ、「この順番でないとあまり効果がありません」というメソッドもあると思うので、その場合はテクニック型の速読は使えないでしょう。

じゃあエクササイズやスポーツの実用書は、メソッド次第で読み方が決まるってことですか？

はい、メソッドの内容によってはテクニック型速読を使えない場合があります。

でもそれって全体の概要をざっと把握しないと、どの速読法が使えるか判断できないんじゃないですか？

そうですね。なので最初は、「読む」を「見る」に切り替えてとにかく先へ、先へと見ていき、どういう読み方がいいかを探ったうえで読み進める流れですね。

……ちょっとめんどくさそう……。

最初に見るのは読み方を把握するためなので、とにかくざっとでOKです！　ポイントは図版に惑わされないことですね。**スポーツ系だと、写真や図版が載っていることが多いんですけど、「ストレッチのやり方の写真が載ってるなぁ」くらいでとどめておいて、先に進みましょう。**

文字より写真のほうが見るの楽じゃないですか？

写真を見ながら「こうやるんだ」って思い始めると、読まずに考える時間ばかりが過ぎていってしまうので。

止まる時間が長くなるってことですね。

ええ、読んでいる途中で考えこんじゃうのといっしょです。なので、「この辺りにこういう図版が載ってたな」程度でとどめておいて、2回目以降で詳細を確認しな

がら試してみるって感じです。実際に「このストレッチ興味あったから、ここからやってみよう」ってするといいです。

でも頭ではわかっていても目がとまっちゃうと思います。

どうしても気になる場合は、小見出し単位で1回読み終わったら戻ってもいいと思います。でもどうしても気になる場合は、ですよ。

基本的には図版に目をとめるなっていう圧がすごい！

でも「どうしてもこのイラストが気になってしょうがない」という場合は、その小見出しを見終わったらイラストに戻って、どんなイラストなのかを確認してから次に進んでもいいと思います。図版を見るという休憩時間をつくると、集中力も続きやすくなるはずです。

LESSON

25 論文の速読のしかた

私は論文を読む機会はまったくないんですが、職業によっては論文を読まないといけない方も多いと思います。あと大学生も！　想像するだけで気が遠くなりそうですが、速読でなんとかならないのでしょうか……？

できますよ！　いちばん上に書いてある「アブストラクト」という概要を読めば、内容の主旨はわかります。その内容に興味があれば、次は結論を読んでいきます。**パラグラフリーディングの読み方ですね。**

じゃあテクニック型速読ですね。

正解です。概要と結論に思ったほど興味を持てなければそこで終わりにすればいいし、関心が持てれば詳細を読んでいきます。このときは検証結果だけでなく、前提条件を確認することもお忘れなく。アブストラクトと結論の間に書かれている内容ですね。

またもや、書いてある順番を大幅に無視した読み方ですね。

そうですね。もちろん最初から読んでもいいんですが、アブストラクトを見ればある程度は内容がわかるように書かれているのが論文の特長です。論文って1本読んだらおしまいじゃなく何十本と読むことになるので、そこも考慮してアブストラクトをつけているんだと思うんですよね。

概要と結論を先に読んだらわかりにくいものはないんですか？

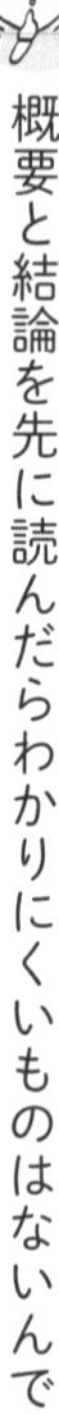

やっぱりありますよ！

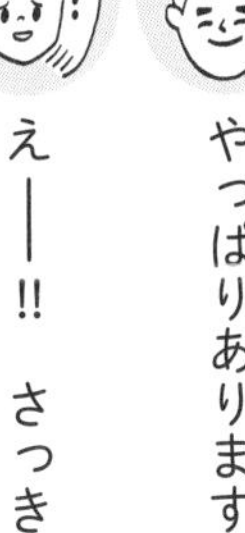

えーー!! さっきと言ってること矛盾してるじゃないですか！

結論を読んでみたけど、いまいちよくわからない書き方だなって思った場合は最初から見ていきましょう。でも論文って書き方のお作法がしっかりしているので、もともと自分が欲しい内容を探しやすいようにできているんですよ。「なんでこの研究をしたのか」が知りたいのであれば最初から読んだほうがいいでしょうし、「どういう仮説でこの研究をやったのか」が知りたいのであれば中盤辺りを見ていけば、だいたい知りたいことは掴めるはずです。

テクニック型速読だから、欲しい情報だけ読めばいいってことですね。

「なんでこんな実験してるのか」が知りたければ、たいてい前半部分に書かれているので、そこを読めばいいでしょうし、「どういう結論なのか」が知りたければ後半部分にたいてい書いてあります。ただ、基準となるのはアブストラクトです。**仮説、前提条件、検証結果、まとめ。それを簡潔にまとめてあるので、そこを読めば全体像がわかります。**

アブストラクトに全部詰まってると考えると、ちょっと気楽に読めそうです。

ええ、それが論文ならではのメリットです。あとは自分の知りたい内容がはっきりしていれば、テクニック型速読が大きく活かせると思います。

反対にトレーニング型速読は論文には不向きですか？

もちろんトレーニング型速読、「読む」を「見る」に切り替える読み方も同時並行でやっていくと、さらに速く読めますよ。

速読法ダブル使いですか⁉

はい、基本的にトレーニング型速読はすべてに使えるけど、テクニック型速読が使えるところはどんどん使ったほうがいいよっていうのはこういう理由です。

LESSON

26

専門書の速読のしかた

友人が看護師なんですが、分厚い専門書を読んでいるのを見るたびに大変そうだなーって思います。読むの絶対大変ですよね？

勉強熱心で素晴らしい方ですね。専門書って自分の専門分野について読むことが多いので、見れば意味のイメージはできると思うんですよね。その状態ならば、トレーニング型速読で読んでいけばいいんじゃないかなと思います。仕事の課題を解決するために読むならテクニック型速読、おもにスキャニングで、関係あるところだけしっかり読めばいいでしょう。

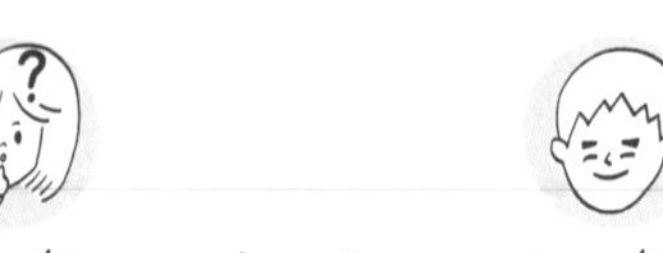

自分がまだそんなに知らない分野、例えば、「株に興味が出たんで勉強したい」ってときはどうしたらいいですか？

そういう場合はいきなり専門書を読んでもわからないので、参考書のときと同じで、まずは語彙力を高め、意味をイメージできるようになることが先決です。株の勉強をするなら、チャートが反射的にイメージできる状態ですかね。例えば、「1週間前に見た○○銘柄のチャート」に当てはまりそうな話題だな、とか。

チャート？　銘柄？　当てはまる？

初心者だと当然そうなりますよね。そこでイメージがパッと出てくれば速読はできるんですけど、そうじゃない場合はまだ語彙力がついてきてないので、そのときはできるだけ速くなぞり読みしながら、語彙や知識を身につけるといいでしょう。**その場合は、専門書より参考書や一般書から入るほうがいいですね。**

そうか、専門書は参考書の延長線上にあるものなんですね。

基本的な知識が参考書に書かれていて、それを深く掘り下げたのが専門書という位置づけなのかなと。

自分の知識量に応じて読み方が変わるところも参考書といっしょです！

専門書はある程度知識がある方向けに書かれているので、初心者がいきなり速読するのは難しいんじゃないかなと。反対に知識がある方が読むには意外と読みやすいんじゃないかなと思います。

本当ですかー？　偏見ですけど、すごい分厚いし文字も小さくて読む気が起きなそうですよ。読む気になるコツがあるんですか？

そうですね、分厚い本だったら、僕は1つの章を1冊と考えて読んでいます。1冊500~1000ページくらいある本も珍しくないので、だいたい200ページで

1冊分と考えて、まずはそこまでを読むんです。

達成感を得やすくするためですか？

たしかに達成感も得られます。**でも最も大きな理由は、最初の章から読まなくていい本もあるからです**。例えば投資の専門書だったら、章をまるごと飛ばしても内容がわかる本は結構あるんですよね。

つまり必要なところから読むためですね。

章が変わると話題も全然変わるので、あとで読んでも問題ないんですよね。すべての章に関連性がある本は、最初から読んでいく必要がありますが。

読む順番はどう決めてますか？

僕は興味ある章から順番に読んでますね。

興味ある章ならなんとか読む気になりそうです。

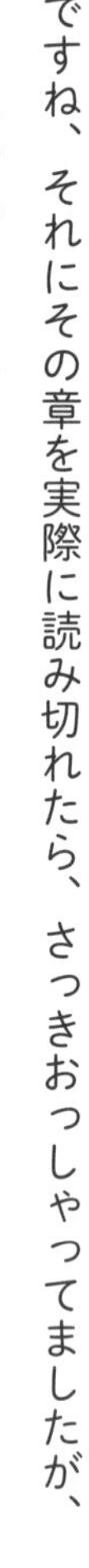

そうですね、それにその章を実際に読み切れたら、さっきおっしゃってましたが、やっぱり達成感が得られます。

そうするとまたやる気が出て次の章も読んでいけるってことですね！

そうです、だから挫折しないよう、達成できるレベルで区切るのがポイントですね。

10ページずつ区切ろうかな……。

今の蓮見さんならもっと読めるから大丈夫。それに速読トレーニングを並行して取り組んでいると、200ページで区切っていたのが、250ページ、300ページと、徐々に読める量は増えていきます。

それは、速く読めるようになっているのを実感できてうれしいかも！

LESSON

27 翻訳書の速読のしかた

小説もビジネス書も翻訳書でベストセラーになってるものって多いですよね。でも読んでみたら、口調とか文体が特徴的で読みづらいです……。翻訳書にも速読のコツはありますか。

翻訳小説に関して言うと、話の流れ、情景の流れ、時間軸を楽しむ要素があるので、文章の独特な書き方に慣れ親しむしかないんじゃないかなと思います。それを含めての小説だと思うので。

日本語の小説といっしょですね。

そうなんです。ですけど、ビジネス書の翻訳本は、パラグラフリーディングで読めるものが多いと思っています。たいてい1つのセクションに具体例が書かれてるんですよ。具体的な事例を通して著者のメッセージを伝える構造です。下手したらメッセージすら書かれていない場合もあるんですよね。

「経営者のキャリーは土曜日に公園を散歩する習慣があった」みたいに登場人物とかが出てきますよね。「キャリーって誰!?」ってびっくりするときがあります。

海外の翻訳書だとそうですよね。**僕の場合は、まず最初に結論がどこに書かれているかを見てますかね。**

たしかにそのほうが効率的ですね！

結論が最初に書いてあるとか、起承転結の流れで最後に書いてあるとかは本によってバラバラなので、どこにあるのかはわからないんですけれども。

どんな傾向がある、っていうのもないですか？

そうですね、書き手によって違うんです。ただ傾向と言えば、結論は抽象的な表現で書かれてることが多いかもしれません。ですから「抽象的に書かれてるところはどこかないかな……」と最初に探していく感じです。

結論なのに抽象的に書いてあるんですか!?　嫌だ——!!

で、仮に結論らしきものがまったく見つからず「具体例から言いたいことを察しろ」という本だったら、小説の読み方に切り替えるのがベストですね。

探しても結論が書いてないって、私には難しすぎます……。

その場合はビジネス書というより小説なんです。物語がずっと書かれていてセリフとかも普通に出てきちゃうわけですから。

じゃあ、まずパラグラフリーディングでどんな本かを捉えるのがいちばんの近道ですね。

そうですね。あと海外の本って日本語にしたときに、文章量が増えることもあると思うんですね。

はい、分厚い本をたくさん見掛けます。

でも原文で見ると、そこまでのボリュームではないこともあるんです。ペーパーバックだと厚さはあるように見えますが、本とか文字のサイズを考えると、翻訳本ほどではありません。

そうなんですね。

それを考えたら、原文を読んでいったほうが楽なんじゃないかっていう場合もあります。もちろん、その方の英語力によりますけれども。

いやいや、なにを言ってるんですか!? たしかにかっこいいけど私には絶対無理です――!!

どのみち読むのが大変なんだったら、原文を読むことにチャレンジしてみるのもありですよ。翻訳本と原文を並べて、原文でわからないところだけ翻訳本でなんとなく意味を把握しながら読み進めれば英語の勉強にもなるのでおすすめです。

角田さんは英語がわかるからできるかもしれないけど、私にはできないですよ！

僕も「英語ができるか？」って言われたら、大したことはないですよ。

いまいち信じられないんですが……。でも「どっちにしろ大変なんだったらチャレンジしてみるのはありかも」って言葉に、ちょーっとだけ心が動いてるんですよね……。

英文に慣れればそのスキルは生涯使えますし。1冊全部読むのは大変かもしれないので、最初は1章だけ読むのでもいいと思います。トライして「翻訳書を読む苦痛と、英語を勉強する苦痛のどっちが勝つか」を確認してみるといいんじゃないでしょうか。そこは人によって違うと思います。

英語のほうが楽っていうパターンあるのかなー？

学生時代を振り返ると、英語のヒアリングはあまり習わなかったけど、リーディングに関してはそれなりに学んでいるので、「意外と読める」と感じる本もあると思うんですよね。

騙(だま)されたと思ってやってみようかなー……。

あと、翻訳書を読むときに、電子書籍を使うっていうのもポイントかもしれないですね。

それで読みやすさとかスピード変わります!?

電子書籍にすると、本の分厚さがなくなるじゃないですか。

たしかにタブレットは薄いので分厚さはなくなりますけど……。

本を見たときの「こんな分厚い本を読まなきゃいけないのか」っていう精神的なハードルがなくなるんです。

まだちょっと信じ切れてないんですが、それだけでだいぶ違いますか？

だいぶ違いますよ。書店で見たときに、「この分厚さちょっと嫌だな」って思ったら、電子書籍の購入を考えることもあります。実際そっちで読んだほうが楽な気がするし、繰り返し読むのも楽です。

ページをめくる回数増えませんか？

もちろん増えますが、本の厚みを感じずに済むのでストレスが減るように感じています。ページめくりボタンを延々と押し続けるほうが僕は気が楽です。じっくり読みたいなら、電子書籍で見たあと、紙の本でじっくり見ていくっていうのもありかなと思います。

角田さんのこと信じて、原文と電子書籍、私も試してみます！

PART4
まとめ

- テクニック型速読で拾えるのは
自分が理解できることまで

- 小説やエッセイは楽しみたい度合いで
読む速度をコントロールしよう

- ビジネス書や新書を速読するときは
完璧な理解よりも読み切ることを優先

- 初めて勉強する分野の参考書は
トレーニング型速読がおすすめ

- 健康書やスポーツ本は文章を読むことを優先

- 論文を読むなら、まず概要の項目に目を通す

- 専門書は興味のあるところから読めばいい

- ビジネス書の翻訳本は
たいてい最初のほうに結論が書かれている

角田和将（つのだ かずまさ）
速読日本一／速読コーチ
高校時代、国語の偏差値はどんなにがんばっても40台。本を読むことが嫌いだったが、ある出来事をキッカケに500ページを超える課題図書を読まざるを得ない状況となり、速読をスタート。開始から8か月目に日本速脳速読協会主催の速読甲子園で準優勝、翌月の特別優秀賞決定戦で速読甲子園優勝者を下して優秀賞（1位）を獲得。日本一となり、その後独立。セミナー講演や研修で国内外を飛び回り、医師、パイロットなどの専門職から大学教員などの研究職、経営者や会社員、学生、主婦など、幅広い層の指導にあたり、ビジネス活用、合格率アップなどにつながる速読指導が好評を博している。
主催する速読講座「ActiveRead」は、『指導品質が高い速読スクールNo.1（※）』に選ばれており、「1日で16冊読めるようになった」、「半年間で500冊読めるようになった」など、ワンランク上を目指す速読指導も行っている。（※日本マーケティングリサーチ機構調べ 調査概要：2020年11月期_ブランドのイメージ調査）
著書に、シリーズ累計23万部超えの『1日が27時間になる！ 速読ドリル』（総合法令出版）、『速読日本一が教える すごい読書術――短時間で記憶に残る最強メソッド』（ダイヤモンド社）などがある。

著者ホームページ https://limixceed.co.jp/blog
速読講座「ActiveRead」関連サイト https://t-sokudoku.com/bk/

めんどうなことなしで
速読できる方法を教えてください

2021年4月10日 初版印刷
2021年4月20日 初版発行

著　者　角田和将
発行人　植木宣隆
発行所　株式会社サンマーク出版
〒169-0075 東京都新宿区高田馬場2-16-11
電話 03-5272-3166（代表）
印　刷　中央精版印刷株式会社
製　本　株式会社村上製本所

ISBN978-4-7631-3901-6 C0030
ホームページ https://www.sunmark.co.jp